Część I.

Tusk i jego drużyna

DONALD TUSK

Jeszcze wcale nie tak dawno, kiedy przystępował pan do PO, przyszły premier uchodził za nieco leniwego, niemrawego chłopca w krótkich spodenkach, który ponad sprawę polityczną stawia dobre towarzystwo i wino do oglądania meczu. Dziś Tusk przedstawiany jest wręcz jako tyran, który dokonuje egzekucji politycznych jednym ścięciem, bez żadnych sentymentów. Władza go odmieniła? A może to tylko iluzoryczna przemiana?

Ilekroć myślę o Tusku, widzę przede wszystkim jedną scenę. To był bodaj maj 2010 roku. Wchodzę do sekretariatu jego gabinetu w Kancelarii Prezesa Rady Ministrów i słyszę jakieś dziwne hałasy, taki łomot. Pytam sekretarkę, co się dzieje. W odpowiedzi słyszę tylko: „Niech pan wchodzi". Otwieram pierwsze drzwi i znów ten sam łomot. Wchodzę i widzę Donalda w jednym z tych jego świetnych ciemnoniebieskich garniturów, w dobrych skórzanych butach – wyglądały na Ermenegildo Zegnę. Nogę miał opartą o piłkę nożną. Wyglądał naprawdę dobrze. Spojrzał na mnie i zachęcił: „Wejdź, wejdź". Po czym mówi: „Widzisz tę roślinę w rogu? Gdy się tu wprowadziłem, odwiedził mnie Leszek Miller.

Powiedział wtedy, że dała mu ją jego żona, i poprosił, żebym o nią dbał i żebym ją podlewał". Po tych słowach z całej siły kopnął piłkę w kierunku tej rośliny. Piłka odbiła się od niej, a następnie od biurka i telewizora. Po czym poszła kolejna ścięta piłka w tę roślinę. Uderzał w coś, co należało do Millera, którym był autentycznie zafascynowany. Miałem jednoznaczne skojarzenie. Było w nim ewidentnie coś z bohaterów jego ulubionych lektur o małych tyranach greckich z czasów Sokratesa, Platona czy Herodota, którzy mieli w zwyczaju na przykład mordować wszystkich swoich synów zaraz po urodzeniu. Każdy z tych bohaterów pławił się w okrucieństwie, a pamięć o nich to pamięć o tym jednym ich straszliwym czynie.

Pytał pan, dlaczego uderza w tę roślinę?
Nie, bo zastygłem w bezruchu. To był naprawdę niesamowity widok. Jasne było, że on z czymś akurat nie daje sobie rady i w reakcji musi w tym momencie zrobić coś ekscentrycznego. W tym zachowaniu czuło się wielką irytację pomieszaną z bezradnością wobec jakiejś sytuacji. Nie wiem, jakiej. W każdym razie musiał dać upust emocjom. I w tym obrazku jest dla mnie jakaś głucha, twarda prawda o Tusku, którą odkryłem po godzinach, miesiącach spędzonych w jego otoczeniu. W tym zachowaniu wyrażały się jego bezwzględność i kontrolowana agresja – zawsze świetnie upudrowane, czego symbolem w tej sytuacji był właśnie dobry garnitur. To był prawdziwy Tusk – mieszanina nihilizmu i cynizmu, a z drugiej strony pewnego wdzięku, uroku.

I jest zafascynowany Leszkiem Millerem?
Bardzo! Trudno się zresztą dziwić. Miller
to przecież fascynująca postać – z dna pożyczki mo-
skiewskiej udało mu się wrócić, i to na szczyty władzy.

**Dopiero wtedy uświadomił pan sobie ten
brutalny rys u Tuska?**
To był raczej proces. Im bliżej go poznawa-
łem, tym bardziej zdarzało się, że przemykały mi takie myśli po głowie. Ale żeby uświadomić sobie tę
prawdę, trzeba przez dłuższy czas obserwować Donalda z bliska. Od początku miałem z nim dobry
kontakt, byłem dopuszczany do różnych spotkań,
konsultowany, ale jednak nie na tych najwęższych
strategicznych gremiach. To się zaczęło dopiero
w 2007 roku. Poza tym jako szef struktur lubelskich
byłem trochę chroniony przed tą brutalnością, raczej długo cieszyłem się wsparciem Tuska. Choć pamiętam na przykład obrazek jeszcze z lata 2005 roku.
Stadion Legii w Warszawie, wielka impreza Platformy, za kulisami wąskie grono liderów przygotowuje się do przemówień. I nieprzyjemna atmosfera, takiego napięcia i agresji, jaką wywoływał sam
Donald.

Mnie samego Tusk dotknął i wkurzył na serio po raz pierwszy dopiero w 2007 roku, a konkretnie w trakcie kampanii. Wymyśliłem, żeby w jej ramach Donald pojechał do Londynu i Irlandii. Można
powiedzieć, że tak jak Kaczyński miał IV Rzeczpo-
spolitą, to my mieliśmy tę swoją Irlandię. W końcu
nadaliśmy marzeniom i projektowi konkretną na-
zwę, dobrze kojarzącą się Polakom. Ten wyjazd to

ugruntował, cała reszta kampanii była praktycznie w cieniu tego marketingowego fundamentu. Mój pomysł został przez niego kupiony jako element działania sztabowego. Tyle że kiedy przyszło do wyjazdu, nie chciał mnie ze sobą wziąć, bo akurat to nie pasowało do jego koncepcji. Postanowił, że najlepiej wypadnie, jeśli wystąpi z Radkiem Sikorskim, który był wówczas świeżym nabytkiem Platformy Obywatelskiej. Uparłem się jednak i na własną rękę załatwiłem sobie wyjazd i doprowadziłem do tego, że na tych spotkaniach jednak siedziałem koło niego. Nie zapomnę tego ostentacyjnego niezadowolenia, jakie okazywał z tego powodu.

Zacznijmy jednak od początku. Jak to się w ogóle stało, że znalazł się pan w tak bliskim otoczeniu Tuska?

W 2005 roku, po odejściu Zyty Gilowskiej z Platformy, przyszedł do mnie poseł Stanisław Żmijan. Ja byłem akurat w trakcie remontowania swojego życia: rozwodziłem się, sprzedawałem moją firmę Ambra. Żmijan o tym wszystkim wiedział. Powiedział, że dostał zadanie od władz partii – znalezienie nowego lidera PO na Lubelszczyźnie. Jakiś profesor czy znany przedsiębiorca z potencjałem, takie były kryteria. W Lublinie takich kolorowych osobowości rzeczywiście było mało. Dlatego przyszedł z ofertą właśnie do mnie. Odpowiedziałem, że muszę mieć tydzień na przemyślenie wszystkiego. Donald jednak mocno naciskał i Żmijan zaczął już po trzech dniach wydzwaniać, dopytując, jaka jest moja decyzja. Identyfikowałem się wtedy z Tuskiem jako politykiem, zgodziłem się więc zaangażować, ale z wyobrażeniem, że wystartuję na przykład do Senatu, będąc twarzą Platformy. Do głowy mi nie przyszło obejmowanie kierownictwa w regionie. Szybko jednak zostałem umówiony na spotkanie z samym Donaldem w jego sejmowym gabinecie. Był bardzo ciepły, dopytywał, czy zaangażuję się na serio. Mówił, że chodzi o zastępstwo dla Gilowskiej. A potem sprawy jakoś tak szybko się potoczyły. Wkrótce, jakiś tydzień później, oni zwrócili się z pytaniem, czy nie byłbym zainteresowany wydaniem książki Tuska „Solidarność i duma".

Ta książka to był moment pana zbliżenia się do niego?

Tak to odbieram z perspektywy czasu. Jej wydanie dogadaliśmy na obiedzie w Sopocie z udziałem m.in. samego Tuska. To było miłe spotkanie, wszyscy ubrani na sportowo, wypiliśmy trochę wina. I właśnie tylko takie czysto pozytywne wrażenie Donalda miałem aż do kampanii 2007 roku.

Manewr z tą książką oznaczał faktycznie dofinansowanie kampanii PO?

Ja byłem wtedy jeszcze bardzo naiwny politycznie. Może dla nich tak to wyglądało, ale też nikt wprost nie postawił tego warunku. Jako że ceniłem Tuska, uznałem, iż warto wyświadczyć taką przysługę polityczną. Zwiększyliśmy celowo budżet na promocję. Po pierwsze, dlatego że byłem Donaldem zafascynowany. Po drugie, dlatego że można było też liczyć, iż ta książka się naprawdę sprzeda. W rzeczywistości się nie sprzedała, ale z pewnością jemu przyniosła zyski, to był marketing jego osoby. Do dziś jestem jednak zdziwiony, że nie udało się sprzedać choćby 30 tysięcy egzemplarzy.

Co panu tak imponowało w Tusku?
Powiedziałbym, że bardziej imponowała mi Platforma jako taka. Po aferze Rywina jawiła się po prostu jako dobra obywatelska inicjatywa. Nie ukrywam, że sam Tusk także ma swój urok. Przede wszystkim słucha i dobrze pilnuje wątku rozmowy. Proszę pamiętać, że on długo w kontaktach z człowiekiem nie ujawnia tego swojego partyjnego, wręcz chamskiego oblicza. Zaczyna rozgrywać partnera, dopiero kiedy go od siebie mocno uzależni bądź też ustawi odpowiednio w hierarchii. W pierwszych rozmowach nie ujawnia swoich emocji, reakcji. Obserwuje uważnie człowieka, próbuje go dobrze wyczuć, i rozkręca się dopiero, kiedy poczuje się naprawdę bezpiecznie.

To taka wyrachowana gra?
Również, ale nie tylko. Generalnie w kontaktach z ludźmi, których dobrze nie zna, jest nieśmiały. On naprawdę tylko z pozycji politycznych bywa brutalny.

Wciąż jednak nie rozumiem do końca, jak to się stało, że znalazł się pan u jego boku. Tą książką tak zaskarbił pan sobie jego względy i zaufanie?
Nie tylko. To jakoś tak wyszło naturalnie. Ja zacząłem ich zapraszać a to na dobre wino, a to na elegancką kolację. Proszę pamiętać, że aspekt finansowy dla polityków, którzy jak wiadomo w rzeczywistości nie zarabiają kroci, jest ważny.

Tuskowi imponują pieniądze?
Sądzę, że tak. On sam jest strasznym skne-
rą, liczy każdy grosz. Nie pamięta o żadnych oka-
zjach, imieninach, rocznicach swoich przyjaciół
i znajomych. No, poza imieninami Grzegorza Schetyny. On rzeczywiście dostał raz od Donalda kopie
mieczy jako prezent imieninowy. Ale to się zdarzyło
akurat, gdy już był premierem. Prezent więc pocho-
dził z rozdania kancelaryjnego. To nie był osobisty
podarunek.

**A zatem jednak musiała być jakaś
szczególna więź między Schetyną
a Tuskiem?**
To jest najbardziej nieodgadniona sprawa.
Z jednej strony te bliskie, wręcz przyjacielskie relacje między nimi były autentyczne. Tam była jakaś
zażyłość w tym wszystkim, jakaś bliskość, wspólna
energia. Na pewno Grzegorz był dla Donalda waż-
nym człowiekiem, choć na każdym kroku sytuował
się wyżej od niego, sugerował, że Schetyna go ciągnie w dół. Od początku widziałem, że traktował
wszystkich członków tego swojego dworu jak war-
chołów. „Knury" – to określenie, którego używał
w stosunku do nich najczęściej. „Nie chcę mieć nic
wspólnego z tymi knurami. Przez was się wykończę" – rzucał nieraz. Grzegorz nie był tu wyjątkiem.
I jego upokarzał. I jego czasem przedstawiał jako takiego knura bez manier, który potrzebuje tylko ze-
żreć, popić i pomlaskać językiem. Niby było to ubra-
ne w taką dobrotliwą, Monty Pythonowską gębę, że
można było odnieść wrażenie, iż to tylko poetyka,
ironia. Ale to jednak były mocne słowa i nie przy-

padkiem padały tak często. Kiedy wyczuwał, że przesadził, to naturalnie dorzucał coś ocieplającego: „Ale wiesz, że cię kocham, Grzegorz" – i robił to z uśmiechem.

Trzeba też powiedzieć, że po Schetynie te wszystkie przytyki spływały. Tusk wiedział, że może sobie na nie wobec niego pozwolić. W stosunku do Rokity czy nawet w jego obecności nigdy by sobie nie pozwolił na używanie takiego języka, bo on natychmiast by wyszedł z pokoju. Na samym dworze funkcjonowała jednak taka cała minikultura picia wina, żartów, skrótów, dowcipu i klnięcia.

Sam Tusk mocno klnie?

Nie. Umiarkowanie i można powiedzieć, że ładnie. W przekleństwach zdecydowanie prym wiedzie Mirosław Drzewiecki, potem jest Schetyna.

**Wracając właśnie do samego Schetyny.
Mimo wszystko dało się zauważyć,
że Tusk go wyróżnia?**

Tak, nie było wątpliwości, że w hierarchii po Donaldzie jest najwyżej. To z nim Tusk najczęściej rozmawiał w cztery oczy, czasem o sprawach, których z nikim innym nie poruszał. W trakcie imprezy wychodzili na chwilę na balkon, by coś przedyskutować. To było tym bardziej znamienne, że w trakcie wspólnych spotkań nikt poza nimi nie urządzał sobie pogaduszek w cztery oczy. Dla Tuska język gestów, hierarchia, to istota mechanizmu władzy. Pocałowanie w czoło to szczyt wtajemniczenia. Dlatego musiało być dla niego szokiem, że Schetyna postanowił się usamodzielnić.

To Schetyna rzeczywiście pierwszy zaczął się usamodzielniać z intencją zrobienia krzywdy Tuskowi czy też była to raczej reakcja obronna na przymiarki premiera do jego marginalizacji, wypychania?

Dziś skłaniałbym się raczej do tej drugiej wersji. Choć to wszystko nie było jednoznaczne. Schetyna w rządzie rzeczywiście bardzo dbał o budowanie swojej pozycji i był czas, kiedy Donald faktycznie był skazany na jego ogląd sytuacji. To ta grupa z Wybrzeża: Tomasz Arabski, Sławomir Nowak i przede wszystkim Jan Krzysztof Bielecki w pewnym momencie uświadomili mu, iż Grzegorz już tak urósł, że całkowicie kontroluje przekaz informacji, jaki do niego jako premiera płynie; że obraz świata, tego, co się dzieje w Platformie, odbiera tylko oczyma Schetyny. A trzeba brać pod uwagę, że Tusk jest potwornie nieufny, wręcz do granic możliwości. W restauracji zawsze z zasady siadał tyłem do sali, tak żeby go nikt nie zobaczył, a najlepiej, żeby pomieszczenie w ogóle było zamknięte dla ludzi z zewnątrz. Na spotkanie, obiad czy kolację nie można było przyjść z nikim, kogo obecność nie byłaby wcześniej uzgodniona. Nie zgadzał się raczej na obecność ludzi spoza jego kręgu. W trakcie spotkań nie odczytywał słów, zachowań zgodnie z ich normalnym znaczeniem, tylko doszukiwał się zawsze ukrytej intencji. „Czyli ty tak naprawdę chcesz to i to?", „Czyli o co chodzi?", „Czyli co to znaczy?" – dopytywał. We wszystkim doszukiwał się jakiejś teorii politycznej.

Miewał teorie spiskowe?

Momentami się o nie ocierał. Jak powiedziałem, był potwornie nieufny, do przesady. Z czasem doszedłem do wniosku, że to musi być doświadczenie z Kongresu Liberalno-Demokratycznego, kiedy jego koledzy narobili tyle afer. To zapewne pchało go do takiej ostrożności.

Ale na tyle ufał Schetynie, że był gotów, w momencie gdy zostanie prezydentem, jak było początkowo w planie, oddać mu tekę premiera?

To prawda, taka była umowa. Zresztą faktycznie to Schetyna, a wcale nie Rokita w zamyśle Tuska miał być premierem już po wyborach w 2005 roku. Obiecał to Grzegorzowi i już wtedy wzmacniał go w partii. Rokita o tej umowie wiedział, dlatego, by temu przeciwdziałać, już w kampanii sam ogłosił się kandydatem na przyszłego szefa rządu, wymyślając hasło „premier z Krakowa". Chciał, żeby to się utarło w opinii publicznej. Wszystko i tak się zawaliło, bo PO przegrała zarówno wybory parlamentarne, jak i prezydenckie. Nikt niczego nie dostał. Ale po tym właśnie zapadła ostateczna decyzja Tuska i Schetyny, żeby Rokitę ostatecznie wyeliminować. Do 2007 roku w relacjach Donalda i Grzegorza nie widać było praktycznie żadnych napięć. Nie pojawiła się żadna prawdziwa rysa na ich znajomości. Po wyborach w 2007 roku w trakcie układania rządu Schetyna zastosował trochę podobną zagrywkę jak Rokita – puścił w obieg pogłoskę, że będzie wicepremierem, zanim Tusk faktycznie podjął decyzję. Donald tego wariantu nie wykluczał, acz początkowo bardziej skłaniał się ku wersji, by był tylko jeden wicepremier koalicjant – Waldemar Pawlak. I już wtedy zaczęło się między nimi dziać coś złego. Nieufność Tuska rosła, w miarę jak w prasie co i rusz zaczęły pojawiać się teksty o tym, jaki to ze Schetyny sprawny kanclerz, że w zasadzie to on panuje nad rządem. W tych komentarzach przodowała taka zaprzyjaźniona z Grzegorzem blondynka z „Gazety Wyborczej", która przyjechała z Wrocławia. Donald uznał, że to zaczyna być dla niego samego ryzykowne.

Ale ludzie Schetyny przekonują, że te teksty i jego pojawianie się w tabloidach, gdzie wcześniej się nie pojawiał, to była świadoma decyzja Tuska, który z myślą o tym, że odda mu premierostwo, chciał go wypromować, sprawić, by stał się powszechnie rozpoznawalny.

I to prawda. Tyle że ludzie Schetyny przesadzili z tym PR-em i po kilku miesiącach ten wzrost znaczenia Grzegorza zaczął się już odbywać kosztem wizerunku Donalda. Tuskowi chodziło o zbudowanie obrazu, w którym będą ze Schetyną świetną parą jako prezydent i premier. Tymczasem w wyobrażeniach powstała figura, w której tak naprawdę to Grzegorz kieruje rządem, a zatem jest lepszy, sprawniejszy niż Tusk.

Ale zanim przyszła władza, był jednak ten 2005 rok, podwójnie przegrane wybory. Jak Tusk to zniósł?

To były moje początki w Platformie, ale nigdy nie zapomnę tego wściekłego Tuska. Przyjechałem do Warszawy po wieczorze wyborczym w Lublinie, gdzie przegraliśmy. Donald wiedział, że wygrana na Lubelszczyźnie w tamtej sytuacji to było zadanie karkołomne. Mimo to tego wieczora nie chciał mi nawet podać ręki. W jego oczach była wściekłość i wielka pretensja. Twarz zawzięta. To było coś niesamowitego, jakby z dnia na dzień w stosunku do mnie inny człowiek. To jest właśnie cały Tusk, bez żadnych sentymentów. Ale wtedy jeszcze nie zastanawiałem się nad tym. Nie przywiązywałem dużej wagi do tego zachowania, wychodząc z założenia, że w takim dniu każdy ma prawo do emocji. Był wtedy jak dziecko – milczał, ale cała postać wyrażała wszystko.

Premier nie jest męski?
Czasami brakuje mu męskości. Jest bardzo kobiecy w sposobie chodzenia, w relacjach z ludźmi. Z drugiej strony ma w sobie coś z charakteru Rosjan, którzy na ogół bardzo długo wprowadzają człowieka w atmosferę przyjaźni, bratania się, by nagle w pewnym momencie przeciąć to bezwzględnie. Zjednywanie sobie ludzi przychodzi mu łatwo, jako że tym swoim humanistycznym profilem uwodzi. Człowiek się nigdy z nim nie nudzi. Brutalność, ostrość jego charakteru jest dla ludzi z zewnątrz do dziś niezauważalna. Odsłania się tylko w wąskim gronie, kiedy jest pewny siebie.

„Donald się wściekł" – to najczęstsze opisy, jakie dochodziły zza kulis do dziennikarzy od jego współpracowników. Co to tak naprawdę znaczy? I rzeczywiście się tak często wścieka?

Tak, jest bardzo impulsywny. Ale też bardzo chwiejny. Kiedy atakuje, jego twarz staje się zawzięta, rzuca wulgaryzmami, obraża i wyrzuca wszystkich. „Absolutnie was wszystkich wypierdolę. Nie nadajecie się do niczego. Mam już dość!" – to są tego typu teksty. Teraz to pewnie biedny Paweł Graś jest tym, który musi je znosić. A trzeba mieć dużo siły, żeby je wytrzymać. Dwór je znosił także dlatego, że wszyscy już się przyzwyczaili, iż następnego dnia Donald już o wszystkim zapomina, zachowuje się normalnie, jak gdyby nigdy nic. Jak podrostek.

Premier przykłada wagę do stroju?
Bardzo, nawet do sportowego. Wszystko jest u niego zawsze starannie dobrane.

Ale kiedy pojawia się na przykład na wałach przeciwpowodziowych, sprawia wrażenie człowieka z tłumu, który spiesząc się, wziął pierwsze z brzegu ciuchy.
I o to właśnie chodzi! W rzeczywistości wszystkie elementy tego ubrania są precyzyjnie dobrane, przemyślane, przegadane. Nie ma miejsca na przypadek. Donald nigdy nie wkłada ot tak pierwszej z brzegu koszulki. Musi być odpowiedni krój, odpowiedni kolor. Na ten jego image wydawanych jest dużo pieniędzy, zresztą moim zdaniem słusznie, bo premier musi być dobrze ubrany. Te koszule, ta charakterystyczna kurteczka z czasu powodzi to już swoiste reklamówki. Jego ulubiona marka to Ermenegildo Zegna. Doradzają mu czasem ludzie wynajęci z rynku, ale on sam też potrafi powiedzieć, że

czegoś nie włoży. Do ubrań przykłada nie mniejszą wagę niż do wina.

A jakie wina lubi?

Przez długie lata doceniał tylko włoskie. Próbowałem go nauczyć trochę większej otwartości, bo był bardzo zamknięty w tej kwestii. Uznawał tylko takie marki jak Brunello di Montalcino lub supertoskany – klasyczne, konserwatywne wina o wyraźnym smaku czereśni lub wiśni. Trzeba mu oddać, że do win ma nosa. Zupełnie inaczej niż Schetyna czy Drzewiecki, z którymi można iść tylko na wódkę, ewentualnie whisky.

Z Tuskiem nie da się napić wódki?

Nie. Przez sześć lat nie widziałem go z kieliszkiem wódki w ręku. Za to moje pierwsze skojarzenie z nim to właśnie Donald siedzący nad kieliszkiem wina i popalający cygaro. To mu zostało pewnie z czasów KLD, gdzie tak się uprawiało politykę.

On więc ma w sobie coś z tego swojskiego chłopaka z podwórka? Czy to jest tylko jedna wielka kreacja?

Jest w nim taki chuligan. To się czasem wyraża w żarcie, swoistym cynizmie, czasem pomieszanym z odrobiną wulgaryzmu.

A jaką rolę odgrywa przy nim żona? Ma na niego wpływ?

Przez te wszystkie moje lata w PO bardzo rzadko się pojawiała. Raz zjedliśmy wspólny obiad. Zawsze bardzo miło i ciepło odnosił się do niej przez telefon, zwracając się do niej „Gosia". W rozmowach raczej o niej nie wspominał, wyjątkowo ciepło za to opowiadał o dzieciach. Generalnie z moich obserwacji wyłania się obraz, w którym Małgorzata nie znosi sytuacji, że on jest premierem, ale w imię swoistego kontraktu ją toleruje. Mają dużą swobodę dla siebie, bywa, że całymi tygodniami są oddzielnie. Czasem ona go dyscyplinuje. Przy całej swojej inteligencji i brutalności Donald jest też słaby psychicznie, chwiejny, histeryczny i łatwo popada w depresję. To Małgorzata wyraźnie pomagała też, by się nie rozleciał w takich momentach. Podsumowując, wyglądają na bardzo nowoczesne małżeństwo, gdzie obie strony zachowują dużą autonomię, ale także liczą się wzajemnie ze swoim zdaniem. I ona bywa chyba zazdrosna o Donalda...

A on zwraca uwagę na kobiety?
Tak, u pań bardzo docenia seksapil. Potrafi rzucić uwagę pod adresem przechodzącej kobiety. Pod tym względem jest najzwyklejszym typem szowinistycznym.

Jakiego rodzaju uwagi potrafi rzucić?
Nie ma sensu o tym mówić. Powiem tak: różne komplementy na temat różnych części ciała.

Ujawniał swój prawdziwy stosunek do Kościoła?
Rozmawiałem z nim na ten temat. On sam wierzy w Boga, ale nie cierpi kleru, o którego przed-

stawicielach nie mówi inaczej jak „ci, czarni". Jego stosunek do Kościoła jako instytucji jest faktycznie bardzo krytyczny. Ale publicznie przyjmuje polityczne podejście. Donald jest głęboko przekonany, że konserwatyzm wobec Kościoła jest w Polsce niezbędnym elementem, żeby istnieć politycznie. Nawet jeśli chce się przemycić jakieś hasła niezgodne z katolicką nauką, to musi to być podawane w odpowiednim sosie, nigdy na kontrze wobec Kościoła. W tym sensie jest taki sam jak Jarosław Kaczyński, który żadnej modlitwy dobrze nie zna. Oni obaj ustawiają się jako konserwatywni katolicy, bo uznali, że takie polityczne pozycjonowanie się przynosi najwięcej zysków.

A Tusk w rzeczywistości jest też chyba konserwatystą w sprawach światopoglądowych?

Rzeczywiście nawet w prywatnych rozmowach nigdy nie był zwolennikiem aborcji czy miękkich narkotyków. Czasem jednak gra tylko pod publiczkę. Szczytem wszystkiego była zgoda na ten ślub przed wyborami prezydenckimi w 2005 roku. Oto nagle dowiedziałem się, że sztab wyborczy doszedł do wniosku, że musi być ślub Małgosi i Donalda.

Jaki sztab? To w wersji oficjalnej w zamyśle miało być tajemnicą, a wynikało z autentycznej potrzeby i przemyśleń samego Tuska.

Śmiech na sali. To była decyzja sztabu, o takim samym charakterze jak później ta, że Komorowski już nie poluje. Świetnie wiedzieli, że jest tylko kwestią tygodnia, jak tabloidy dowiedzą się o ślubie. Ta informacja to typowy kontrolowany przeciek.

A jak się w Platformie robi taki przeciek?
Banalnie. Zazwyczaj spotyka się z wybranym dziennikarzem na kawie, niby na inny temat. Na koniec mimo chodem rzuca się słowo o takim wydarzeniu. A kiedy rozemocjonowany dziennikarz zaczyna dopytywać, zgrywa się głupiego: „O Boże, miałem ci nie mówić. Jakby co, to nie ja". Choć niektórzy mają tak zaprzyjaźnionych dziennikarzy, że nie potrzeba całej tej ściemy.

BRONISŁAW KOMOROWSKI

Na czym polega ta wasza legendarna już bliskość z obecnym prezydentem?
To nawet dla mnie niezrozumiała do końca historia. Tak jakoś się dziwnie ułożyło. Zaczęło się dokładnie w nocy z 1996 na 1997 rok. Spędzaliśmy razem sylwestra w małej miejscowości Władysławowo koło Janowa Lubelskiego, gdzie Bronek wcześniej i później wielokrotnie polował. To była leśniczówka, którą dzierżawił jakiś Francuz, ale miała polskiego zarządcę, który znał się z obecnym dyrektorem Łazienek Królewskich w Warszawie Tadeuszem Zielniewiczem, który z kolei był kolegą Bronka Komorowskiego z racji tego, że gdy pełnił funkcję Generalnego Konserwatora Zabytków, to Bronek był już w rządzie jako wiceminister. Tak się złożyło, że kilka miesięcy wcześniej i ja poznałem Zielniewicza, bo został on dyrektorem Rady Bizne-

su, do której ściągnął mnie Janek Wejchert. I Zielniewicz akurat zaprosił nas obu. I jak to na sylwestra: napiliśmy się czegoś razem, pogadaliśmy, pochodziliśmy po lesie. Bardzo sympatyczne spotkanie.

I od razu zaiskrzyło?

W pewnym sensie tak, choć nie umiem powiedzieć, na czym to polegało. To była sympatyczna, dobra rozmowa. Bronek dużo opowiadał o swoich litewskich korzeniach, o okresie walki w opozycji w latach 80., o internowaniu. Przytaczał masę anegdot, historii. W głowie do dziś zostały mi jego życzenia. Mówił, iż bardzo się cieszy, że poznał kogoś takiego jak ja, bo jestem jednym z niewielu ludzi z tzw. obozu solidarnościowego – choć to oczywiście przesada mnie tak nazywać – którzy zrobili karierę w gospodarce. I dodał, że bardzo mi kibicuje. I tak zawiązała się nić sympatii, która przetrwała chyba dlatego, że było między nami tak jak w starym dobrym małżeństwie – rzadko się widywaliśmy. Ale za to regularnie dwa, trzy razy do roku, na sylwestra właśnie albo na jakichś wyprawach. Zapamiętałem na przykład taki spływ pontonami. Pomysł wziął się z moich opowieści o spływach, które organizował mój ojciec, gdy byłem dzieckiem. Uwielbiałem je. To bardzo fajne, nie wiosłuje się, rzeka sama niesie te pontony, odbijając od przeszkód; meandrując pomiędzy nimi, można podpłynąć do drapieżników, a nad głowami latają wielkie ważki. Miałem wówczas obok siebie dwóch synów, Bronek też wziął swoich dwóch najstarszych i ruszyliśmy na taki spływ. To była naprawdę niesamowita wyprawa. Organizowaliśmy sobie na przykład bitwy na kacze bomby, czyli kule z mułu. Jako że Bronek pracował w Ministerstwie Obrony Narodowej, rzucając je, wznosiliśmy z moimi chłopakami okrzyki: „Uwaga, MON z chłopakami atakuje!". Jeszcze częściej wspominam słynne polowanie z 1998 roku. To było moje pierwsze polowanie. Polowanie na głuszce. Wzięło się z mojej wcześniejszej znajomości ze świetnym myśliwym z Biłgoraju Januszem Bełżcem, który niestety już nie żyje. On swego czasu namówił mnie, by moja firma Ambra zakupiła gdzieś pierwsze stado danieli, które przed wojną występowały w okolicach tego miasta, ale w czasie wojny Niemcy wybili je dla celów żywnościowych. Potem Polska Akademia Nauk próbowała dwukrotnie przywrócić ten gatunek, ale się nie udało. Sprowadziliśmy więc te daniele aż ze Słowacji, dogadaliśmy się z kłusownikami, żeby na nie przez dwa – trzy lata nie polowali, i rzeczywiście udało się przeprowadzić introdukcję, a ja dostałem odznaczenie od ministra środowiska jako zasłużony dla przyrody. Tę historię opowiedziałem kiedyś Bronkowi i na jej bazie zrodził się właśnie pomysł, by wybrać się wspólnie na polowanie.

Wyruszyliśmy w kilku, m.in. z ówczesnym redaktorem naczelnym „Łowca Polskiego". Specjalnie z tej okazji zrobiłem kurs polowania, wyrobiłem sobie stosowne papiery. I tak polecieliśmy do Moskwy. Bronek był szefem MON-u, co próbowaliśmy ukryć, ale się nie udało – KGB się dowiedziało. Z Moskwy ruszyliśmy do leśniczówki, oddalonej o jakieś 300 kilometrów w kierunku Mińska. Warunki sanitarne były straszne, jakaś czerwona woda lecąca z rur, wszystko brudne i nieświeże. Ale jak to bywa po takich przyjazdach, zaczęła się biesiada, wódeczka, zagryzka, pogaduszki, a tu nagle nawiedza nas dwóch facetów. Przyprowadził ich opiekun tej leśniczówki. Nie mieliśmy wątpliwości, że to służby specjalne. Przynieśli też wódkę. Zachęcali nas do picia, a potem zaczęli prowokować: „Po co wy do tego NATO w ogóle się pchacie?". „Polska to w ogóle taka prostytutka. Gdy Rosja była silna, to trzymała się Rosji, jak Ameryka jest silna, to chwyta się Ameryki" – rzucił jeden z nich. „Jak ty tak, to ja ci powiem, co ja myślę o Rosji" – odezwałem się i ja. I wypaliłem: „Nie gniewajcie się, ale Rosja to jest, była i będzie gówno". Powstało zamieszanie. Oni zaczęli grać obrażonych i tak się rozeszliśmy. Bronek tę moją akcję wielokrotnie potem opowiadał innym.

A jak polowanie?

Przez tę historię było jeszcze większym przeżyciem. Wstaliśmy o trzeciej nad ranem i ruszyliśmy. Każdy dostał swojego przewodnika, z którym po bagnach podchodził do głuszców. Zimno, ciemno. Idąc, uświadomiłem sobie, że znalazłem się w kompletnej dziczy, będąc sam z tym człowiekiem, a dzień wcześniej obraziliśmy tych Rosjan z KGB. I ciarki mi przeszły po plecach. Co prawda byłem dobrym strzelcem, bo za komuny w szkole nauczyciel przysposobienia obronnego za każde niestosowne pytanie wysyłał mnie na strzelnicę, ale jednak... Z głuszcami jest tak, że w okresie godowym samiec tańczy wokół samicy i śpiewa. Ten śpiew ma dwie fazy: takiego korkowania i jakby szlifowania. Przy tej drugiej można zrobić dwa kroki w przód. Każdy dźwięk, złamanie gałązki może go wypłoszyć. Więc brnie się tak przez półtorej godziny w bagnie, będąc totalnie przemarzniętym, przesuwając się tylko co jakiś czas o dwa kroki. W odległości 150 – 200 metrów, gdy byłem już złożony do strzału, nagle zleciał jednak drugi samiec. Zaczął walczyć z tym pierwszym. To ewenement! Wielu myśliwych na oczy nigdy nie widziało takiego zjawiska. A ja pierwszy raz na polowaniu i takie szczęście. Ale na tym nie koniec. Kiedy walka się zakończyła i jeden odleciał, pojawił się trzeci! Usiadł na gałązce i ja go trafiłem. Kiedy wróciliśmy, wszyscy byli w szoku. Żadnemu z pozostałych uczestników nie udało się niczego upolować. Zresztą nie dowierzali. Myśleli, że kogoś przekupiłem, załatwiłem to sobie. Opowiadam tę historię, bo ona niezmiennie wraca w naszych kontaktach z Bronkiem. Choć generalnie opowieści o naszych wspólnych polowaniach są przesadzone. W sumie polowałem ze trzy razy, zawsze ze względów towarzyskich. Jestem bardzo umiarkowanym entuzjastą tego zajęcia.

A myślał pan, co Komorowskiego tak pociąga w polowaniach?

Odnosiło się wrażenie, że one go tak przywracały do pionu, potrzebował ich, by się zresetować. Gdziekolwiek byśmy się nie spotkali, on następnego dnia z samego rana wychodził sam, by polować albo połazić, podumać, pomarznąć. Najbardziej właśnie lubił polować sam. Rzadko zresztą opowiadał o tych samotnych godzinach. Z wyjątkiem takich historii jak ta z dzikiem, który pewnego razu go zaatakował i zranił w udo. Zwierzę przymierzało się już do dalszego ataku. Na szczęście syn Bronka je zastrzelił. Ale mnie Bronek zawsze będzie się kojarzył z obrazem, gdy siedzi przy stole i gawędzi. Tych biesiad było sporo, a że te spotkania dzieliły miesiące, to w życiu każdego z uczestników wiele się zdążyło wydarzyć, było więc o czym gadać. Trochę się pojadło, popiło. Bronek bawił się, ale nie upijał. Po wino sięgał niechętnie. Lubi przede wszystkim nalewki. A jego własnej produkcji nalewka z agrestu jest po prostu wyśmienita.

I w czasie tych biesiad próbował pana wciągnąć w politykę?

To właśnie ironia losu, że choć Bronka znałem tak długo, to konkretną propozycję polityczną złożył mi nie on, a Donald. Jakoś tak wyszło, że ja nawet swojego wejścia do Platformy z Bronkiem nie konsultowałem. Tusk z kolei nie miał wtedy pojęcia, że jesteśmy z Komorowskim w takiej zażyłości. Bronek mi realnie imponował, muszę przyznać. Bardziej ceniłem oczywiście Adama Michnika czy Jacka Kuronia, ale on jednak też należał do Komitetu Obrony Robotników, do ekipy, do której miałem słabość. Poza tym z Komorowskim dobrze się rozmawiało, nie był też taki napuszony jak inni politycy, z którymi miałem do czynienia jeszcze w biznesie. W każdym innym był jakiś element bufonady.

Wspólne spędzanie sylwestrów stało się tradycją. Od 2003 roku do czasu, kiedy został prezydentem, byliśmy razem na wszystkich. Z czasem uformowała się taka sylwestrowa zgrana grupa. Bywali w niej m.in. profesor Cezary Wodziński, Antoni Libera, Mariusz Treliński. Te znajomości trwają do dziś. Dziś to Libera jest bliżej Bronka niż ja. Komorowski na tych spotkaniach rzecz jasna był zawsze celebrowany jako ten polityk, którego lubimy, cenimy, choć nie zawsze zgadzamy się z jego poglądami. On był bowiem o wiele bardziej konserwatywny od reszty towarzystwa. Były kuligi, a pierwszego stycznia tradycyjne długie spacery.

Ale wchodzi pan do polityki. I ta prywatna przyjaźń przeradza się w polityczny sojusz, taktyczną grę?

Nie, bo ja paradoksalnie nie jestem typem gracza. Zaczęliśmy się naturalnie częściej spotykać, choć to nie były tak częste kontakty jak z Tuskiem, dworem. No i zmieniły się trochę tematy. Szliśmy przynajmniej raz na miesiąc na obiad i obgadywaliśmy, co tam w polityce, na dworze, u Tuska.

Jaki był stosunek Komorowskiego do Tuska i jego otoczenia?

Bardzo krytyczny. Uważał ich za cyników i nihilistów. Z czasem zmienił nieco opinię o samym Tusku. Zaczął go podziwiać za jego talent do różnych rozgrywek partyjnych. Mówił o nim jako o mistrzu świata w rozgrywaniu PO, ustawianiu ludzi. Ale reszta dworu to była dla niego po prostu banda zwykłych cyników. „Donald jest jeszcze do przyjęcia, ale ten Schetyna obok niego?! Ta cała grupa?! Oni ciągną na takie manowce cynizmu. Pamiętaj, Janusz, strzeż się ich, oni nigdy nie dotrzymają słowa, oszukają cię, namówią do czegoś, a potem wystawią" – ostrzegał mnie. Najgorsze rzeczy mówił o Schetynie. „Morderca polityczny, uwikłany w jakieś niejasne interesy, za którym ciągną się ogony",

„człowiek bez żadnego kręgosłupa" – takie określenia padały pod jego adresem. Dopiero ta gra prezydencka w 2010 roku zbliżyła go do Grzegorza.

Ale sam Komorowski nie pokazywał się jako jakiś wybitny polityk, nie potrafił zbudować swojego zaplecza, zawsze był jakby w drugiej lidze. Z czego to wynikało?

Miał niby jakąś grupkę przybocznych, typu Łukasz Abgarowicz. Kiedy Tusk ze Schetyną wykańczali Pawła Piskorskiego, bronił go do końca. Do pewnego czasu miał też przecież poprawne stosunki z Rokitą. Tyle że dwór konsekwentnie eliminował ludzi Bronka. A on sam nie ma nic z fightera. To człowiek, który raczej czeka na okazje, niż je sobie stwarza. Nie gryzie trawy, zawsze równoważył pracę przyjemnościami. Inaczej niż Tusk, który cały dzień zajmował się polityką. Nawet to oglądanie meczów, picie wina – to cały czas była polityka. Bronek jak tylko mógł, urywał się. W Sejmie, z wyjątkiem czasu kampanii, robił tylko to, co było konieczne, i zmykał na polowania czy do tej swojej Budy Ruskiej [miejscowość położona w województwie podlaskim, w powiecie sejneńskim – przyp. red.]. Zawsze ograniczał sobie pracę do minimum. Dopiero w kampanii prezydenckiej ruszył tak naprawdę.

I okazało się, że strzela gafę za gafą. Nawet jego zwolennicy szeptali o rozczarowaniu.

Mnie się wydaje, że to właśnie wynikało z przemęczenia. Wcześniej nigdy nie był przyzwyczajony do takiego tempa. A do tego te problemy sercowe, które chyba ma, ale do których się nie przyznaje. Ilekroć go pytałem o zdrowie, o serce, zbywał mnie: „Wiesz, wszystko jest OK, wszystko pod kontrolą". Ewidentnie miał jednak okresy, gdy czuł się gorzej. Na ile jednak te problemy z sercem są poważne, nie wiem do dziś.

Jest obdarzony jakąś intuicją polityczną?

Rzadko, ale czasem ją ujawnia. To wypychanie Tuska do prezydentury nieźle rozgrywał. Pamiętam też, jak latem 2009 roku zaprosił mnie na żaglówkę na Wigry. Wówczas po raz pierwszy poznałem jego późniejszego szefa kancelarii Jacka Michałowskiego. Wtedy jeszcze sytuacja była inna. Komorowski zastanawiał się, jak doprowadzić do sytuacji, w której Donald nie kandyduje, a on jest naturalnym kandydatem PO. Z tych dywagacji pobrzmiewało, że Bronek potrafi się posłużyć ludźmi, żeby kogoś z kimś skonfliktować, potrafi myśleć w sekwencji dwóch, trzech kroków do przodu. Generalnie jednak jego zalety polegają bardziej na sporym już doświadczeniu niż intuicji. Jest w nim lęk przed frontalnym starciem. Tego nie lubi i nie umie. Nie potrafi reagować szybko, jak w ping-pongu. I to jego duża wada jako lidera politycznego.

A na podstawie czego zakładał pan, że on będzie dobrym prezydentem?

To jest z pewnością człowiek przyzwoity, który raczej nie kieruje się intencją zrobienia komuś czegoś złego. Inaczej niż Kaczyńskiemu i Tuskowi obcy jest mu taki cynizm społeczny. Inaczej niż oni nie zrobi niczego wbrew własnym przekonaniom. W tym sensie to jest inna liga. Liga bardziej Władysława Bartoszewskiego, ludzi z zasadami. Jego problemem jest jednak to, że otacza się złymi ludźmi.

Bo nie ma do nich ręki czy bo niewielu dobrych chce iść za nim?

Mógłby stworzyć dobry team w swojej kancelarii, gdyby nie to, że zawsze nad kompetencje przedkłada sympatie, znajomości. I dlatego dobiera tak beznadziejne postacie jak ten jego kolega Dariusz Młotkiewicz. Kiedy tworzył kancelarię, wszyscy mu powtarzali: „Bronek, uważaj, bo z tymi ludźmi świata nie podbijesz". Ale on stawiał na swoim. Pracuje z ludźmi, z którymi prywatnie po prostu się dobrze czuje, co do których ma poczucie zobowiązania, że kiedyś był z nimi na przykład w Stronnictwie Konserwatywno-Ludowym czy Unii Wolności, więc musi ich zabierać ze sobą dalej. On chce być lojalny wobec nich i wie, że oni będą lojalni wobec niego. Pod tym względem można powiedzieć, że jest taki sam jak Lech Kaczyński. Zresztą zawsze byłem świadomy, że ilekroć się mnie radził, szedł jeszcze przegadać te rady właśnie z kompanami ze starych czasów, z UW czy z MON-u.

Jest mocno zanurzony w środowisku „Gazety Wyborczej"?

Tak, choć z samym Adamem Michnikiem, z którym są oczywiście na „ty", relacje były raczej letnie. Głównie ze strony redaktora. Adam zawsze uważał Bronka za przyzwoitego człowieka, a nie za wielkiego polityka, zdolnego odegrać naprawdę jakąś znaczącą rolę. Doprowadziłem w czasie prawyborów w PO do ich pierwszego spotkania po latach. Tak się złożyło, że najpierw byliśmy na jakiejś premierze w kinie czy teatrze, po czym zaprosiłem ich do swojego warszawskiego mieszkania. Michnik jest zresztą moim sąsiadem. Bronek był ze swoją Anką. Wpadł też, pamiętam, Marek Raczkowski z „Przekroju". To spotkanie dobrze zaowocowało, bo po nim „Gazeta Wyborcza" bardziej się na Bronka otworzyła. I sam Adam zaczął się lepiej o nim wypowiadać.

A gdy pan zobaczył, jak się prezentuje w kampanii, ręce trochę nie opadły?

Mało powiedziane! Szlag mnie trafiał! Były dzikie awantury ze Sławomirem Nowakiem. Przede wszystkim Bronek wypadał tak słabo, bo Tusk nie chciał, by on wygrał. Nowak jako szef kampanii był w pułapce. A już zwłaszcza sam Komorowski nie był nauczony takiej pracy. W tym amoku, przemęczeniu strzelał gafy. Ja go znałem wcześniej jako ciepłego, uroczego człowieka, który dotknie czyjejś ręki, poklepie po przyjacielsku, pochyli się nad dzieckiem i pocałuje w czoło. Sądziłem więc, że świetnie sobie poradzi w kampanii. Ale nie uświadamiałem sobie, że przecież do tej pory obserwowałem go zawsze w sytuacjach na luzie, bez stresu. Nie miałem okazji sprawdzić, jak odnajduje się w sytuacji napięcia. W rzeczywistości Bronek ma dużo z figury dziadka narodowego, który raczej jest wynoszony siłą bezwładu, a nie własnego starania.

Po kolejnych pana wyskokach czy po katastrofie smoleńskiej nie próbował się od znajomości z panem odciąć?

Nie. Już po katastrofie, w trakcie kampanii, regularnie raz na tydzień jedliśmy śniadania u niego, w mieszkaniu na Powiślu. Często dzwoniliśmy do siebie. Jeszcze po jego zaprzysiężeniu na prezydenta byłem z Ryszardem Kaliszem na słynnych, bo zawsze licznych i hucznych, imieninach u Anki. Na tych imprezach bywało około trzystu gości, całe towarzystwo z Komitetu Obrony Robotników i Unii Wolności. Spotykaliśmy się też dalej, czy to w Dzierwanach, gdzie ja mam posiadłość, czy u niego w Budzie Ruskiej. Aż do momentu, kiedy na dobre skumał się ze Schetyną i bodaj w listopadzie 2010 roku ogłosił gdzieś nagle, że gdyby nie ja, to uzyskałby lepszy wynik w wyborach prezydenckich. Po tej wypowiedzi jeszcze zadzwonił, przepraszając, że jest mu głupio za te słowa, że Anka go już za to ochrzaniła. Ale potem ja zrobiłem manifestację przeciwko przedłużeniu misji w Afganistanie i tak jakoś nasze drogi się rozeszły. W grudniu przed świętami co prawda złożyliśmy sobie jeszcze życzenia, ale nie da się ukryć, że jest już jakiś dystans między nami.

I dziś wciąż się pan cieszy, że pomagał mu zostać prezydentem?

Tak. W tym sensie, że wciąż uważam, że jeśli Kaczyński byłby prezydentem, mielibyśmy groźną wojnę domową. Ale jestem też rozczarowany samym Bronkiem. Nie dotrzymuje obietnic, a w tej sytuacji z krzyżem pod Pałacem Prezydenckim zupełnie się pogubił, kompletnie nie potrafi reagować na wydarzenia. Pierwsze sześć miesięcy jego prezydentury to była bida z nędzą. Widać dziś, że nie ma przemyślanej, całościowej wizji tej kadencji. Jest takim zwykłym platformianym prezydentem.

Ale wysyła jakieś sygnały ostrzegawcze do Tuska. Byłby zdolny zagrać na serio przeciwko niemu ?

Moim zdaniem jest na to gotowy. Jeżeli Schetyna nie zostanie skasowany wcześniej, a Tusk w wyborach parlamentarnych nie dostanie ponad 40 procent poparcia, to Komorowski z Grzegorzem go załatwią.

ANNA KOMOROWSKA

O ile Komorowski nie zbiera zbyt dobrych ocen w roli prezydenta, o tyle jego żona w roli prezydentowej zbiera bardzo dobre. Nadspodziewanie?

Dla tych, którzy ją dobrze znają, niekoniecznie, choć pamiętam, że sam Bronek miał obawy, jak ona to zniesie. Kiedy został prezydentem, powiedział: „Teraz mój prawdziwy problem to będzie żona. Ja już w życiu wiele przeszedłem, wiele uzyskałem, mam w związku z tym taki luz i dystans do tych funkcji, ale z Anką różnie może być, bo ona zawsze była w cieniu". Na spotkaniach prywatnych z nią zawsze się czuło, że mówienie o tym, iż ona spełnia się całkowicie w roli matki i to jej wystarczy, to trochę taka dorabiana ideologia do prawdziwych chęci, bo w rzeczywistości ma ochotę odgrywać większą rolę.

To nie jest kobieta, która będzie pod pantoflem męża?

Ona? Nigdy! Zawsze odważnie wkraczała ze swoimi sądami, mówiła twardo i bez ogródek, co myśli. Ma bardzo silny charakter. Zupełnie inaczej niż Małgorzata Tusk, która jest znacznie słabszą osobowością, jest bardziej wycofana. Bronek przy Ance jest absolutnym liberałem. Ona jest bardzo konserwatywna, zarówno jeśli idzie o rolę Kościoła, jak i rodziny, a także życia publicznego. To ona, a nie Bronek, zawsze mnie strofowała po jakichś akcjach: „Janusz, co ja powiem teraz moim kolegom z Klubu Inteligencji Katolickiej? Jak ja mam jeszcze cię bronić?!". „Obiecaj, że już nigdy tak nie zrobisz. Zostaw już w spokoju Lecha Kaczyńskiego" – złościła się z kolei innym razem. Anka jest bardzo pryncypialna.

Wobec męża również?

Tak, ma bardzo duży wpływ na niego. Nie zawaham się powiedzieć, że to właśnie ona w dużym stopniu nadaje dynamikę tej prezydenturze. Ona tworzy, wymyśla, ona jest aktywna. Po tylu latach bycia matką teraz jest w swoim żywiole. A Bronek jest już na tyle mądry, że wie, iż musi być pod jej pantoflem. Generalnie, to bardzo szanujące się małżeństwo.

Ale przynajmniej PR-owcy PO przed kampanią i w jej trakcie przekonywali, że nie chce być prezydentową, że broni się przed tym, że nie odpowiada jej takie życie.

Nic z tych rzeczy. Uwielbia takie życie. Ale oczywiście to także niezła kokietka. Przed wyborami mówiła wielu osobom: „Słuchajcie, ja tak namawiam Bronka, żeby nie kandydował, ja nie chcę do tego Pałacu". Tyle że nikt ze słuchających w to nie wierzył. Wszyscy wiedzieli, że tak mówi, ale w rzeczywistości marzy o roli prezydentowej. Ona jest teraz przeszczęśliwa, żyje pełnią życia. Jeśli przez chwilę w emocjach się wahała, to tylko ze strachu, bo tusza, bo wygląd. Ale na pewno nie było tak, że na serio nie chciała takiego życia.

A jaka jest prywatnie?
Bardzo pogodna, optymistycznie nastawiona do świata. No i po drugie, naprawdę świetnie przyrządza dziczyznę.

GRZEGORZ SCHETYNA

Pana relacje z nim to była wrogość od pierwszego wejrzenia?
Może nikt mi nie uwierzy, ale ja naprawdę, nawet kiedy się już z nim biłem, lubiłem go. On ma w sobie coś autentycznego, żywego, w odróżnieniu od Tuska. Można powiedzieć, że dawno temu, w 2006 roku, byliśmy razem, razem graliśmy. Nawet ostatnio się jeszcze uśmiałem, wspominając tamten czas. Niedawno na trasie Warszawa – Lublin wpadłem z rodziną coś zjeść do jednej z restauracji i odkryłem, że do dziś jest w niej miejsce, przy którym wisi nasze wspólne zdjęcie – w dobrej komitywie. To pizzeria Juan Carlo, w której kiedyś zabalowaliśmy z właścicielem, w towarzystwie dodatkowo Mirka Drzewieckiego.
Choć pierwsze wrażenie w kontakcie z nim, inaczej też niż u Tuska, jest raczej odpychające. Donald jest człowiekiem, którego właśnie w momencie poznania już się kupuje całego, akceptuje. Schety-

na zaś to typ odpychający, którego na początku się raczej odrzuca. Prymitywny, chamski, drugoligowy – takie pierwsze wrażenie zrobił na mnie Grzegorz w 2005 roku. I wówczas spotkania z nim to był dość nieprzyjemny obowiązek.

Dziwne wrażenie. Czemu uważa pan, że jest wręcz odpychający przy pierwszym kontakcie?

To chyba kwestia odbioru wyglądu fizycznego, estetyki. Ma coś takiego w sobie, w swojej posturze, w sposobie bycia. Taka bryła. Podkreślam, że mówię o pierwszej impresji. Na starcie wszyscy trochę tak na niego reagują. Nie wzbudza od razu zaufania. To określenie Tuska, „knur", trafiało w pewien sposób w coś istotnego o Schetynie. Ale trzeba też przyznać, że szybko się zorientowałem, że jest człowiekiem bardzo zapobiegliwym, sprawnym, zawsze krzątającym się wokół spraw do załatwienia. I bardzo odpornym psychicznie. Jest wyjątkowo stabilny emocjonalnie: do wszystkiego podchodzi z góry, z dystansem. Jest nie do zabicia. Nikt i nic chyba nie jest w stanie go realnie dotknąć, obrazić. Wszystko traktuje jako element gry politycznej.

Nigdy nie traci kontroli nad sobą? Nie działa emocjonalnie?

W polityce na pewno nie. I w tym sensie można z powodzeniem stwierdzić, że jest politykiem z prawdziwego zdarzenia. Nieprzyjemny stawał się, gdy wypił więcej alkoholu. W takich sytuacjach wychodził z niego trochę prymityw. Nie było wątpliwości, kiedy Grzegorz za dużo wypił. Zawsze bowiem po przekroczeniu pewnej granicy zaczynał ten swój irytujący rytuał strzelania w ucho kompanów. Najczęściej trafiało na biednego Pawła Grasia. Każdy z nich zresztą inaczej reagował na alkohol. Drzewiecki na przykład zaczynał strasznie kichać.

W kontakcie ze Schetyną od razu czuło się, że jest żelaznym sekretarzem partii?

Oj tak. Czasem to jego kontrolowanie partii przybierało wręcz charakter czarnej komedii. Pamiętam, jak kiedyś, jeszcze przed 2007 rokiem, dominikanin ojciec Maciej Zięba zaprosił mnie do Wrocławia na wykład dla młodzieży. Schetyna o tym się dowiedział. Wylądowałem więc na lotnisku swoim własnym samolotem, wysiadam i natychmiast natykam się na dwóch facetów. „Dzień dobry, jesteśmy od Grzegorza Schetyny, będziemy panu pomagali" – zakomunikowali ku mojemu osłupieniu. Tłumaczyłem im, że naprawdę nie ma takiej potrzeby, że sobie sam poradzę, ale oni byli nieugięci. Nie opuszczali mnie przez cały pobyt we Wrocławiu. Pilnowali do tego stopnia, że kiedy odwiedziłem jakąś szkołę, w klasie usiedli ze mną, w ostatniej ławce. To był niesamowity widok: z jednej strony dzieci, tornistry, szkolne akcesoria, a z drugiej tych dwóch podstarzałych drabów. To byli tak naprawdę lokalni działacze, macherzy od Grzegorza.

Ale dlaczego pana nie spuszczali z oka. Czego tak naprawdę pilnowali?

Schetyna wiedział, że znam na przykład Rafała Dutkiewicza, Bogdana Zdrojewskiego, których on traktował jako polityczne zagrożenie, i chciał wiedzieć, czy czasem się z nimi nie spotykam. Tak, tak, Grzegorz był bardzo dobrym sekretarzem generalnym partii. Mechanizm twardego zarządzania partią ma dopracowany do perfekcji. Doświadczyłem tego na własnej skórze w 2010 roku, kiedy Schetyna przedsięwziął akcję mającą na celu niedopuszczenie, bym ponownie został szefem regionu lubelskiego. W tym celu zarządzał kolejnymi poczynaniami posła Włodzimierza Karpińskiego, którego wystawił jako mojego kontrkandydata, a także działaniami posłanki Joanny Muchy i posła Wojciecha Wilka. Walczył ze mną, ale przegrał! Wszyscy byli nieustannie wzywani, zastraszani, grożono im, że zostaną wyrzuceni, że nie dostaną urlopu, jeśli coś będzie nie po myśli Grzegorza. Jego człowiek i zastępca w Ministerstwie Spraw Wewnętrznych i Administracji wiceminister Tomasz Siemoniak dzwonił do wicewojewody Henryki Strojnowskiej, by ostrzec, że jeżeli pójdzie na konwencję regionalną, to zostanie usunięta z urzędu. A do tego marszałek sejmiku wojewódzkiego Jacek Sobczak, który był w grupie mnie popierającej, w otoczeniu jakichś ludzi był zmuszany do wyjazdu na spotkanie z wiceministrem. Za takie rzeczy właśnie odpowiadał w partii Schetyna. Nigdy nie był od decyzji strategicznych. W jakim kierunku się pozycjonujemy aktualnie, w którą stronę skręcamy – od tego był Tusk. Grzegorza Donald tylko pytał każdorazowo, jak na dany ruch zareaguje partia. Ocena nastrojów społecznych to była już jedynie kwesta intuicji samego premiera.

Schetyna jest pozbawiony intuicji politycznej?

Ja miałem poczucie, że on nie ma dobrego słuchu politycznego, że jest bardziej wykonawcą niż strategiem. Cały czas wierzył i utrzymywał, że Tusk wystartuje w wyborach prezydenckich w 2010 roku. Już w lipcu wspominałem, że Donald może zrezygnować ze startu. Inna sprawa, że akurat nie wiadomo, czy w tej sprawie Schetyna powtarzał, że Tusk wystartuje, bo nie miał wyczucia politycznego, czy dlatego, że taki był po prostu pożądany przez niego scenariusz polityczny.

Ma własne sprecyzowane poglądy?

Poglądy akurat ma. Jest na przykład bardzo prożydowski. Fascynuje się armią Izraela, Benjaminem Netanjahu, tą konserwatywną częścią tamtejszej polityki. Podzielał twardą linię wobec świata arabskiego. Na wieczornych posiadówkach, kiedy większość już padała, oni, z Pawłem Grasiem, ruszali do Internetu w poszukiwaniu różnych filmików, często z jakimiś utworami faszystowskimi, pokazujących zachowania tłumów. Z Grasiem zresztą łączyła go w ogóle fascynacja wojskiem, GROM-em. Schetyna był też, jak dostrzegłem z czasem, większym od Tuska liberałem w sprawach gospodarczych i relacji państwo – obywatel. Na zewnątrz to już dziś widać. To także wynik przewartościowania w sobie liberalizmu przez samego Donalda, który obecnie czasami ma już mocno socjalne podejście.

Dlaczego zatem właśnie Schetynę upatrzył pan sobie jako wroga?

Ja?! To on pierwszy zaczął mnie zwalczać. A moja prawdziwa niechęć do niego zaczęła się wraz z tym, jak jego kolega prokurator generalny Edward Zalewski nie kończył postępowania dotyczącego finansowania kampanii Platformy, mimo że nie było żadnych merytorycznych przesłanek, by je kontynuować. Jestem zresztą przekonany, że ruch ten, wymierzony we mnie, był absolutnie skonsultowany z samym Tuskiem. Następnego dnia po przedłużeniu śledztwa Schetyna podszedł do mnie i rzucił najbardziej charakterystyczny dla siebie tekst: „Wykończę cię, jesteś skończony". I tak oto doświadczyłem drugiego oblicza Grzegorza, człowieka traktującego z buta każdego, kto stanie mu na drodze. „Nie podoba ci się? To wypierdalaj" – tak regularnie gasił każdego szefa struktur, który ośmielił się wejść z nim w polemikę. Mnie postanowił „grillować" za pomocą prokuratury. A dla mnie polityk, który jak on używa służb do celów politycznych, przestaje istnieć. A w sprawie finansowania PO przypominam: w ciągu czterech lat nie pojawił się żaden świadek, który mnie obciążył.

Dlaczego Tusk ze Schetyną wobec pana mieliby wykorzystywać aż służby?

Mieli poczucie, że ja jestem niekontrolowany, że mnie faktycznie nie da się podporządkować. Z drugiej strony niebezpiecznie urosłem, miałem swoich własnych sympatyków. Zwykłe groźby, że mnie wyrzucą, gdy nie będę brał pod uwagę ich opinii, nie działały. Może więc chcieli dać mi do zrozumienia, że mają w rękach jeszcze taki instrument jak prokuratura. To taki element zarządzania ryzykiem. Pamiętam zresztą, jak kiedyś Tusk powiedział mi wprost, że największą moją siłą jest bezinteresowność. I wiedział, że właśnie to czyniło mnie człowiekiem zupełnie niekontrolowanym. Grzegorz szukał więc jakiegoś narzędzia, żeby mnie trzymać w ryzach, i domyślił się, że taka prowokacja z prokuraturą zadziała na mnie jak płachta na byka. Było takie spotkanie z udziałem m.in. Tuska, Grasia i Drzewieckiego, na którym Grzegorz nie owijał w bawełnę. „Prokuratura nie zakończy tej sprawy i musisz to przeżyć. Albo nie" – oświadczył. Na moje pytanie, jak to możliwe, żeby prokuratura kontynuowała tę sprawę, skoro były już cztery wnioski o umorzenie, odparł: „No tak, ale wiesz, nie możemy dopuścić do tego, że będą nam zarzucali, iż załatwiliśmy ci umorzenie we własnym interesie". „Chyba oszalałeś! Chcecie ze mnie zrobić ofiarę!" – wściekłem się na dobre. Doszło między nami do ostrego spięcia. I wtedy wtrącił się Tusk, uspokajając niby, że sprawa przejdzie do innej prokuratury, potrwa i zakończy się. Przyznam, że to mnie realnie wyprowadziło z równowagi. Przestałem się kontrolować i stąd tego samego dnia te moje słynne ostre słowa do dziennikarzy o Schetynie na rauszu.

Wykorzystywanie służb, prokuratury do celów politycznych to mocny zarzut. Ma pan jakiś inny przykład? Jakieś dowody? Bo jednak we własnej sprawie nie jest pan wiarygodnym świadkiem.

Na niczym nie złapałem go za rękę. Ale to jest moje przekonanie graniczące z pewnością.

Schetyna nie bez powodu na potęgę obsadzał swoimi ludźmi wszystkie miejsca decyzyjne. Nie było praktycznie resortu, w którym nie miałby swojego człowieka, nie mówiąc o spółkach skarbu państwa. Polskie Górnictwo Naftowe na przykład? Całe należy do Grzegorza. To był jeden wielki desant z jego rodzinnego Dolnego Śląska. Tak zbudował swoje imperium polityczne i też dzięki temu, kiedy przychodzi moment gorszy, moment próby, ma jak się bronić, może omijać swobodnie Tuska i jego popleczników. To zresztą, co dzieje się za Platformy w kwestii skoku na stołki, obsadzania swoimi spółek i różnych instytucji, nie różni się akurat niczym od sytuacji, jaka była za PiS-u czy poprzednich ekip.

Ale inaczej niż w przypadku poprzedników Platformie uchodzi to raczej na sucho. Mam wrażenie, że przez cztery lata jej rządów o takich przypadkach stosunkowo niewiele było słychać.

To prawda, bo oni robią to inteligentnie. To nie odbywa się tak, że Schetyna jak kiedyś Kaczyński osobiście dzwoni do człowieka, wydaje polecenie i po sprawie. Oni pozorują te działania, tak by wyglądały na normalny tryb urzędowo-społeczny. Trzeba przyznać, że PO rozegrała to wszystko bardzo dobrze. Były konkursy, przetargi, tylko niemal wszystkie sprytnie ustawione poprzez precyzyjne określenie wymaganych warunków, zawężających kwalifikacje, tak by wygrały określone osoby. W przypadku rad nadzorczych Grzegorzowi bardzo pomógł minister skarbu Aleksander Grad.

Dziś to już bardziej człowiek Tuska, ale wcześniej ściśle współpracował ze Schetyną. Jak to konkretnie się działo, mogłem obserwować u siebie w Lublinie. Choć byłem szefem regionu partii rządzącej, nie miałem wpływu praktycznie na nic. Wszystkie stanowiska politycznie istotne były obsadzane, w uzgodnieniu pomiędzy Schetyną a Gradem, poprzez kuzyna ministra z województwa lubelskiego posła Mariusza Grada. Grzegorz wsadzał ludzi, gdzie popadło, w ten sposób zobowiązując ich do lojalności wobec siebie. Tak też stworzył w Lublinie zwalczający mnie obóz.

Maluje pan obraz Schetyny jako wyjątkowo brutalnego gracza. Ale też przy okazji rozwodu z Tuskiem, to ponoć właśnie on to realnie, po ludzku, mocno przeżył.

Dlatego właśnie na początku zaznaczyłem, że jest w nim też coś autentycznego, głęboko ludzkiego. Z nim zresztą jest jak z prawdziwym gangsterem: zabija człowieka, a po chwili wobec własnego kota jest już miękki, czuły, wycofany. Oniemiałem, kiedy pierwszy raz zobaczyłem Schetynę w obecności jego żony i córki. Jedliśmy razem obiad na Nowym Mieście w Warszawie. Kompletna przemiana, nagle zupełnie inny facet: pogodny, czuły, bez żadnego napięcia, śmiejący się, z dystansem, bez agresji. Czasem z kolei ta skłonność do brutalności u niego bywała naprawdę zabawna. Jedną z jego ulubionych rozrywek było testowanie ministra sprawiedliwości Zbigniewa Ćwiąkalskiego. Podczas spotkań przy alkoholu w sejmowym pokoju Drzewieckiego wchodził i rzucał: „Kto nie był w KLD, na baczność!". Wszyscy do tego przywykli i zbywali to śmiechem. Mnie sam czasem dopytywał, kiedy nie wstawałem: „A ty co? Byłeś w KLD?". „Tak, Grzegorz, przecież ja zakładałem nawet KLD, nie pamiętasz?" – odpowiadałem żartem. I tylko jeden Ćwiąkalski ze swoim urokiem profesora, wstawał i salutował, po czym otrzymywał od Schetyny reprymendę: „Spocznij". Grzegorz dziesięć razy wchodził, to Ćwiąkalski dziesięć razy salutował. Minister, nawiasem mówiąc, miał niestety skłonność do alkoholu.

Był czas, kiedy Schetyna był przygotowywany przez Tuska na premiera. On ma w sobie coś z takiego lidera, przywódcy?

Schetyna na premiera, Schetyna premierem – to jak mantrę rzeczywiście powtarzało jego otoczenie, szczególnie w 2005 roku. Ale moim zdaniem on nie ma wystarczającej charyzmy. To nie jest człowiek, który potrafi się nakręcić dla jakiejś sprawy, co jest cechą każdego charyzmatyka. Poza tym Tusk ma coś, co realnie imponowało ludziom w partii. Pozycja Grzegorza była zbudowana tylko na zasadzie przemocy. Jego credo to wykończyć, przeczołgać i tak przekonać do szacunku. Szacunek do niego to był bardziej szacunek kota z jednostki wojskowej, a nie uwiedzionego nim rzeczywiście człowieka, który dobrowolnie daje się mu przewodzić. Przecież Schetyna nie jest w stanie zaimponować ani retoryką, ani analizą. On reprezentuje raczej taki sznyt ludzi wywodzących się ze służb: może być bardzo sprawny, ale to wszystko. Gdyby spojrzeć na to bardziej globalnie, bliżej mu do takich ludzi jak Angela

Merkel czy nasz Leszek Miller niż do Tony'ego Blaira albo Baracka Obamy.

MIROSŁAW DRZEWIECKI

**Przez jednych uważany wręcz za podejrzanego typa, przez innych, którzy go znali, za jednak poczciwego człowieka.
Co go wyróżniało spośród wszystkich członków dworu Donalda Tuska?**

Na dworze Tuska przekleństwa są powszedniością, ale Mirek nawet na tym tle zdecydowanie się wyróżnia. Klnie najwięcej. Przy czym nie jest to z pewnością takie piękne przeklinanie jak w wykonaniu Kazimierza Kutza, ale też nie takie rażące, zwykłe, codzienne jak u innych. Trzeba powiedzieć, że Drzewiecki klnie z pasją.

W publicznym odbiorze dostał jednak łatkę przede wszystkim tego z czerwonym nosem?

Wszystkie sugestie, że ma cokolwiek wspólnego z narkotykami, są bardzo krzywdzące. Widziałem go w wielu różnych sytuacjach i nigdy nie zauważyłem tego typu używek. Wrażenie robiło natomiast rzeczywiście to, jak często pił. Czasem miał wręcz ciągi, że dzień w dzień musiał coś chlapnąć. Choć to nie są w jego przypadku bardzo duże ilości alkoholu. Wygląda na człowieka już wyniszczonego alkoholem, tak że gdy wypije szklankę whisky, jest wstawiony. Z pewnością ociera się przynajmniej o chorobę alkoholową. Ma ewidentnie z tym problem.

Ale w Platformie jest chyba lubiany?
Tak, bo to był naprawdę najfajniejszy, tak po ludzku, człowiek z otoczenia Tuska. Nie był zdolny do krzywdzenia ludzi. Nie miał w sobie nic z buty, brutalności. Taki brat łata.

Niektórzy jednak dodają: ale taki, który ma też jednak za pazuchą.
Tak naprawdę w Platformie nigdy do tej sfery finansów, interesów, nie byłem dopuszczony. Wiem, że Mirek pełnił tam rolę takiego załatwiacza: chodził po ludziach, wyrabiał różne kontrakty. Ale co to było? Nie wiem.

W czym tkwi tajemnica jego relacji z Tuskiem? Dlaczego zaszedł tak wysoko w tej hierarchii?
Oni się kiedyś wszyscy umówili, że grają razem, i rozdzielili role. Tusk miał być liderem, a Mirek człowiekiem od finansów. Z pewnością nie bez znaczenia są ich wspólne sportowe zainteresowania. O tym często rozmawiali. Drzewiecki przede wszystkim jednak pełnił przez lata tę samą rolę, jaką ja w ostatnim czasie: kupował wino, stawiał kolacje, rozwiązywał tego typu codzienne problemy, które politycy mają, bo wbrew pozorom nie są zamożni. Po drugie, miał też naprawdę smykałkę polityczną. To nie talent wrodzony, ale zdobył doświadczenie, wiedział, jak wyczuwać czas. Naturalnie na takim prostym, tabloidowym poziomie. Ale ta zdolność jest też bardzo cenna, daje probierz tego, co ludzie faktycznie myślą. Poza tym nie ma wątpliwości, że Platforma Obywatelska zawdzięcza Mirko-

wi naprawdę dużo, szczególnie w tym czasie, kiedy jeszcze nie otrzymywała dotacji państwowych. To on był organizatorem numer jeden, zbierał mozolnie środki finansowe, potrafił świetnie mobilizować ludzi do aktywności i zaangażowania. Pamiętam go zawsze biegającego i przypominającego wszystkim: „Odebrałeś pieniądze od wszystkich chętnych do wpłaty? Wpłaciłeś swoją składkę?".

A do tego sam też był hojny?

Oj, tak. Pamiętam, jak kiedyś zwiózł ze swojej rodzinnej Łodzi do sejmowego pokoju masę męskich ciuchów: koszule, krawaty, nie wiem, czy nawet nie było tam całych garniturów. Dwór się zbiegł i zaczął przebierać w stercie. Każdy szukał swojego rozmiaru, a Schetyna z Grasiem robili sobie jaja: to może jednak mniejszy kołnierzyk, a może jednak większy. Cała impreza była oczywiście zdrowo zakrapiana. Następnego dnia spotkałem mocno skacowanego Drzewieckiego na sejmowym korytarzu. Na sobie miał koszulę wciąż jeszcze z fabrycznymi zagiętkami, oczywiście prosto z opakowania, wybraną z tej sterty. To był kabaretowy widok.

PAWEŁ ŚPIEWAK

Romans profesora z polityką. Jak wspomina go pan w wykonaniu słynnego socjologa, z którym byliście chyba w nie najgorszej komitywie?

Zapamiętałem go przede wszystkim z genialnych komentarzy na temat innych ludzi. „Ujazdowski? Trudno ukrywany homoseksualizm" – kwitował. „Drzewiecki? Właściciel prowincjonalnego burdelu" – rzucał niespodziewanie. I tak, kto akurat nie wchodził na sejmową mównicę czy przechodził korytarzem, Śpiewak od razu musiał wyrazić swoją opinię. Straszny egocentryk, tak jak Rokita. Ale też żywy umysł. Profesor to człowiek, z którym można ciekawie podyskutować.

A gdyby pan miał skomentować Śpiewaka wchodzącego na mównicę?
Lokalna wersja Woody'ego Allena. Bo niby cechuje go taka autoironia jak u słynnego reżysera. Ale autoironia Allena ma jednak zdecydowanie charakter światowy. Profesor jest dobry, ale na polskim poziomie. Brakuje mu uniwersalizmu.

Dlaczego ten jego romans z Platformą nie wyszedł?
Tusk go specyficznie wypychał, aż wypchał, ostatecznie go zniechęcając. Przypominam sobie, jak kiedyś powiedział mi z uśmiechem: „Pamiętam, gdy obaj ze Śpiewakiem zaczynaliście w Platformie w 2005 roku. Kto by pomyślał, że ty zostaniesz, a profesor odleci pierwszy. Ha, ha, myślałem, że będzie odwrotnie".

Dlaczego Tusk go nie doceniał, nie chciał w swoich szeregach?
Bo uważał, że wszystkie jego diagnozy są błędne, że owszem, on może stosuje piękne figury retoryczne, które się podobają, ale nigdy nie trafiają w sedno problemu. Oceniał, że on jest obciążony syndromem jajogłowego analityka, który w swojej diagnozie zawsze po części kieruje się jakimiś osobi-

stymi uprzedzeniami, a nie czystą percepcją tego, co się dzieje. Pewnego razu Śpiewak wystąpił na zjeździe rady krajowej partii, faktycznie uderzając w politykę zarządu. Tusk słuchał, słuchał, po czym wstał i skwitował: „Paweł, wszyscy doskonale wiedzą, że tobie ani razu nie zdarzyło się trafić z jakąkolwiek prognozą. Czy mam ci przypomnieć, jak..." – i tu zaczął punktować krok po kroku, rok po roku, jego diagnozy. „No, to może na tym skończymy" – zgasił go na koniec. Profesor zrobił się całkiem czerwony. Donald go zupełnie nie cenił. Inaczej niż ja.

A pan za co go ceni?

Przede wszystkim za tę jego intelektualną zaczepność, ustawianie się zawsze trochę w poprzek głównego nurtu debat. Choć miał rzeczywiście swoje gorsze strony. Kiedyś byliśmy w Rzymie na zjeździe Europejskiej Partii Ludowej, w której skład wchodzi Platforma. Tusk miał wystąpienie, a my robiliśmy tłok. Około godziny piętnastej główna część zjazdu się zakończyła i poszliśmy w kilku coś zjeść do pobliskiej knajpy. Przy stoliku siedział z nami właśnie m.in. Śpiewak. Doniesiono jedzenie, rozmawiamy sobie, aż tu nagle koło nas przeszła jakaś młoda studentka czy doktorantka profesora. Ten nie zdążył nawet dojeść kanapki, natychmiast za nią ruszając. „Widzisz, jaki kolega?" – skomentował Schetyna, chyba do Nowaka. „Taki jest właśnie Śpiewak, zawsze solo, zawsze solo" – dodał Grzegorz. Rzeczywiście coś w tym jest: gdzieś na końcu profesor zawsze sprowadza rozmowę na siebie, na swoje pomysły, swoje figury retoryczne, swoją inteligencję.

JAN ROKITA

Palikot i Rokita – antypody pod chyba każdym względem? Zanim wypadł z Platformy, przez jakiś czas utożsamialiście w niej dwa przeciwległe, zwalczające się bieguny.

To prawda, ale to, jak do tego doszło, nie jest już takie proste. Sądzę, że gdybyśmy spotkali się w innych okolicznościach, w innym miejscu, nasze relacje mogłyby rozwinąć się inaczej. Pamiętam, jak w sierpniu 2005 roku leciałem rejsowym samolotem do Gdańska na obchody rocznicy Porozumień Sierpniowych, a następnie na kolację w Sopocie z Tuskiem. Sam, bo wszyscy pozostali uczestnicy polecieli już dzień wcześniej, mnie coś zatrzymało. Na pokładzie niespodziewanie spotkałem właśnie Rokitę. Zaczęliśmy rozmawiać. On, jak miał w zwyczaju, zaczął jakoś ironizować na mój temat, zagadując na przykład: „No, słyszałem, że pan to się wszystkim interesuje". Ja w tej ironii nie pozostawałem dłużny. Na koniec stało się coś dziwnego. Nieoczekiwanie oświadczył, że w takim razie spędzimy ten dzień razem. I rzeczywiście, po wylądowaniu postanowił chodzić za mną wszędzie, nie odstępując mnie na krok. Do tego stopnia, że kiedy weszliśmy już na salę w stoczni, gdzie odbywały się główne obchody, usiadł obok mnie, choć jeden z organizatorów wskazał mu miejsce przygotowane specjalnie dla niego, w pierwszym rzędzie. „Nie, ja tu jestem z Palikotem" – zbył go Rokita i usiadł ze mną na końcu sali. Ludzie wokół popatrzyli się ze zdziwieniem. Ale taki właśnie on jest. To bardzo charakterystyczna dla niego zagrywka.

Ale na czym ona polegała? Dlaczego właściwie tak postąpił?

Tak na przekór, po swojemu. On tak już ma, tak lubi. Spędziliśmy wtedy razem cały dzień, poszliśmy gdzieś na obiad, na spacer. Była między nami wbrew pozorom jakaś bliskość. Proszę pamiętać, że my spotykaliśmy się już wcześniej, na kolokwium dominikańskim u ojca Macieja Zięby. Paradoksalnie w Platformie to właśnie mnie do Rokity było najbliżej. Szybko jednak ta relacja przeszła w opozycję czy wręcz antagonizm. Czy dlatego, że ja byłem wtedy za blisko Tuska i Schetyny? Nie wiem, to też mogło zaważyć. Poza tym przecież już w 2005 roku, kiedy nie doszło do koalicji PO-PiS, której Rokita był jednak głównym symbolem, po raz pierwszy został on w partii faktycznie ukrzyżowany jako niedoszły premier. Donald z Grzegorzem przystąpili do wykluczania go z obiegu politycznego. I tak troszkę w wyniku tego partyjnego procesu, a troszkę jednak ponad moją głową, ponad moimi intencjami, stanęliśmy po innych stronach obozu. On po 2005 roku był wciąż twardym graczem na rzecz PO-PiS-u, a to skłaniało do dalszych konfliktów. Już znacznie później, pod koniec 2006 roku, po tym, jak złożyłem wniosek o wykluczenie go z partii, odbyła się u mnie w domu w Lublinie kolacja z okazji sesji Instytutu Pamięci Narodowej. Zaprosiłem na nią także i jego, było również kilku profesorów, była Teresa Torańska. W pewnym momencie Rokita polecił mi: „Pan ma bliski kontakt z Tuskiem, to proszę mu powiedzieć, że jeśli ja nie dostanę konkretnej propozycji od Platformy, to biorę propozycję Kaczyńskiego, którą mam, i przechodzę do PiS-u".

Byliście zawsze na „pan"?

Tak. Ja zresztą w ogóle raczej unikam przechodzenia na „ty", to jeszcze przyzwyczajenie z biznesu. W polityce pod tym względem panują rzeczywiście inne obyczaje. Tusk na przykład już w pierwszym tygodniu znajomości zaproponował, byśmy byli po imieniu.

Jaki był wtedy rzeczywisty stosunek Rokity do Tuska?

Moim zdaniem Rokita Tuska idealizował. Gardził realnie całym tym światkiem Donalda, jego otoczeniem, ale do niego samego odczuwał szacunek i sympatię. Długo nie traktował szefa PO jako odpowiedzialnego do końca za to, co się wokół niego dzieje, za to, co jemu samemu w Platformie się nie podobało. Wszystko, co złe, kładł na karb rozgrywek Schetyny. Długo żył fałszywym przekonaniem, że jego problemy w PO biorą się tylko z tego, że Grzegorz walczy z nim o wpływy u Donalda. Nie wierzył, że to sam Tusk daje zgodę na jego autowanie, widząc w nim potencjalnego konkurenta dla siebie samego. Inaczej niż w przypadku Schetyny, Rokitę można sobie jednak, mimo wszystko, wyobrazić w roli prawdziwego lidera Platformy. Oczywiście, tak jak Donald, potrzebowałby on kogoś, kto by ją skutecznie poprowadził, takiego drugiego Grzegorza, który by mu to zorganizował. Generalnie jednak Rokita ma wiele parametrów wyróżniających przywódcę politycznego, jest chociażby świetnym mówcą. Dlatego właśnie był dla Tuska problemem. Zaznaczam jednak, że dziś wspominając tamte czasy, uświadamiam sobie ten problem. Wtedy nie dostrzegałem pewnych mechanizmów, intencji. Po latach w biznesie, który jest o wiele bardziej normalny, moralny, zdrowo-rozsądkowy, dopiero uczyłem się polityki.

Jak to autowanie przez Tuska Rokity wyglądało w praktyce? Był pan świadkiem takich zachowań?

Oczywiście, bo Rokita był tematem ciągłych rozmów na naradach, posiadówkach. Kiedy tylko powiedział coś niezgodnego z obowiązującą linią partyjną, kiedy poparł nawet miękko jakieś działanie Kaczyńskiego albo był choć niejednoznaczny w jego ocenie, natychmiast zbierał się sztab, czyli po prostu dwór Tuska. I odbywały się twarde rozmowy. „Czy to już ten moment, kiedy należy go wyrzucić? Czy nie za wcześnie? Czy jest ryzyko, że na takim ruchu możemy stracić? Jakie?" – zastanawiali się. W tym gronie nie było wątpliwości, czy Rokitę wyrzucić z PO. Było tylko cały czas pytanie, kiedy i jak to zrobić. Wszyscy rozważali konkretne kroki, mające stopniowo obniżać jego znaczenie, pozycję w oczach opinii publicznej. Po jego wypowiedziach kombinowali, jak inteligentnie dać sygnał, że on faktycznie nie wypowiada się w imieniu Platformy, tylko w swoim własnym, że tak jest właśnie przez partię traktowany. Podobne zagrywki wobec niego organizowano na posiedzeniach klubu parlamentarnego. Do jego młotkowania wykorzystywali często na przykład Iwonę Śledzińską-Katarasińską. To była cała akcja marginalizacji Rokity, przeprowadzana z całą premedytacją.

Nie przesadza pan? Jest pan w stanie wykazać mechanizm, na którym się ona opierała?

Rokita był przez jakiś czas szefem klubu PO. A takiego szefa klubu, który musi zarządzać masą niezadowolonych posłów, wciąż sfrustrowanych, że nie mogą załatwić wielu swoich spraw, jest bardzo łatwo ugotować. Przy pomocy prostych zagrywek można szybko spowodować, by stał się ofiarą tego niezadowolenia. I tak właśnie był on wykańczany. Zresztą w białych rękawiczkach. Najpierw wytwarzano wobec niego atmosferę krytyki, swobodnej nawalanki, po czym wszyscy udawali zdziwionych.

Pamiętam jedno z wyjazdowych posiedzeń klubu w Białymstoku. Rokita miał wówczas mocne wystąpienie. Skrytykował kierunek, w którym zmierza Platforma, jej niechęć do PO-PiS-u. Wtedy wstałem i dałem mu równie mocny odpór, podważając w ogóle wiarygodność jego intencji. Zrobiłem to, opowiadając tę rozmowę z nim u mnie w domu, kiedy to kazał powiedzieć Tuskowi, że jeśli go nie potraktuje poważnie, to on przejdzie do PiS-u. „Człowiek, który tak rozgrywa Platformę, nie ma moralnego prawa do pouczania jej, do stawiania takich tez" – oświadczyłem. Ku mojemu osłupieniu Tusk zaczął udawać, że jest na mnie wściekły. To było wręcz ostentacyjne zachowanie. „To było ponad wszelką krytykę" – oświadczył Donald i wyszedł. Nie chciał mi nawet ręki podać. Byłem kompletnie zdezorientowany, bo po pierwsze, powiedziałem prawdę, a po drugie, znałem ze spotkań nastawienie Tuska do Rokity. Dopiero z czasem zrozumiałem, że chodzi o to, by do końca nikt się nie połapał, że to on sam stoi za tym jego wykańczaniem. To była taka świadoma gra. Zrozumiałem to, obserwując inne podobne jego rozgrywki, także te wobec mnie. Było mu na rękę, że Palikot czy Schetyna walą w Rokitę, stwarzał wręcz zachęcającą do tego atmosferę, wiedząc, że on przyjdzie do niego z żalami. „Widzisz, widzisz, co to są za ludzie! Z jakimi ludźmi ja muszę pracować. Postaram się, żeby to się nie powtórzyło. Koniec z lansowaniem się tego typa" – w ten sposób wtedy pacyfikował Rokitę. Ale swój cel krok po kroku osiągał, bo autorytet posła stopniowo topniał. Był jedzony jakby po kawałku. Nie przypadkiem częste były sytuacje, w których publicznie wyrażał opinie w jakiejś sprawie, a wkrótce po tym zbierał się klub PO, zajmując kompletnie inne stanowisko. Przy czym bywało i tak, że to swoje wystąpienie on wcześniej konsultował z samym Tuskiem i dostawał od niego aprobatę na takie, a nie inne stanowisko w danej sprawie. „Tak wybitnych technik manipulacji partyjnej daleko szukać" – powiedział mi kiedyś Andrzej Olechowski. I rzeczywiście rozgrywali to perfekcyjnie.

Kiedy ten proces wypychania Rokity zaczął się na dobre? Był jakiś szczególny moment?

W zasadzie od przegranych przez PO wyborów w 2005 roku. To, że tego nie zrobili ostatecznie, wynikało tylko z tego, że Tusk obawiał się, iż taki ruch może jednak zaszkodzić projektowi. I wciąż zastanawiał się, jak to zrobić, by ewentualne szkody były jak najmniejsze. Zresztą miał rację. Pamiętam, że już dwa lata po tym, jak Rokity w Platformie nie było, na zamówienie partii prowadzono ankietę z pytaniem o najbardziej rozpoznawalne twarze partii. Wychodziło na to, że drugą po Tusku jest twarz... Rokity. To był nawet dla mnie szok. W końcu jednak natrafiła się idealna sytuacja, którą stworzyła Nelli Rokita, przechodząc na stronę PiS-u. Lepszego rozwiązania problemu Donald nie mógł sobie wymarzyć. Ale też rozumiał już, że w Platformie ludzie oczekują wyraźnej domieszki konserwatyzmu, dlatego niepokornego posła szybko zastąpił Jarosławem Gowinem.

Ale jednak tuż przed tym, jak wybuchła burza wokół Nelli Rokity, wydawało się, że Tusk zawarł jednak z jej mężem porozumienie. Gotowe były billboardy Rokity. Na nim w dużej mierze miała się oprzeć tamta kampania.

Tak, ale jednocześnie cały czas trwała w partii akcja dyskredytowania go. Kolportowano na przykład plotki, że nie będzie jedynką z Krakowa, że pójdzie na zsyłkę do Senatu, że jego ludzie nie wejdą na listy. To był taki szeptany marketing, żeby go poniżyć, osaczyć, żeby nie miał do końca poczucia pewności. Marketing tym skuteczniejszy, że Rokita jak Śpiewak, o czym wszyscy wiedzieli, był przewrażliwiony na swoim punkcie.

Rokita, a potem Gowin nie zauważali, że Tusk traktuje ich instrumentalnie?

Ich błąd polegał na tym, że dawali się wciągać w takie projekty jak komisja konstytucyjna, bioetyka. Tusk powierzał im takie zadania z założeniem, że nie będą mieli wsparcia politycznego. Występowali publicznie, rozdmuchiwali nadzieje w jakimś temacie, po czym zostawali twarzami niezrealizowanych obietnic. Rokita był w ten sposób wiele razy wystawiany w różnych projektach, coraz bardziej sprawiając wrażenie bycia tylko figurantem, a nie poważnym politykiem.

Ale nie było też chyba tak, że w ogóle nie istniała żadna więź ideowa między nim a Tuskiem?

W 2005 roku Donald tkwił jednak jeszcze jakoś w myśleniu Kongresu Liberalno-Demokratycznego. Wydawało mi się, że faktycznie różnił się od Rokity bardzo. Ale sądzę, że paradoksalnie to dziś Tusk jest najbliżej jego poglądów.

Prywatnie Rokita da się lubić, pana zdaniem?

Przechwalał się, że ma mocną głowę. „Jak się pan już przekona, że ten Tusk i cały jego dwór tak naprawdę niewiele mogą wypić, to proszę mnie zaprosić, ale na wódkę" – przekonywał mnie. I w końcu rzeczywiście wybraliśmy się do piwnicy restauracji Magdy Gessler, głównie ze względu na wyśmienite śledzie w oleju, które tam podają. No i wypiliśmy trochę razem, Rokita wódkę, ja – wino. Okazało się, że tak bardzo mocnej głowy jednak nie miał. Kiedy zbieraliśmy się, usiłował założyć kapelusz. Tyle że sięgał po niego nie z tej strony, gdzie on faktycznie leżał. Ubaw miałem niezły. Najlepszy numer był jednak, kiedy Donald zwierzył mi się, że musi Jankowi kupić jakiś prezent. „To kup mu kapelusz" – poradziłem. „Kapelusz? Ale skąd ja go wezmę?!" – odparł Tusk. Odpowiedziałem, że jak chce, to mogę go zorganizować.

Kupował pan Rokicie kapelusz?!

Owszem. Znalazłem w Internecie odpowiedni sklep, wybrałem jakiś uniwersalny model, zamówiłem, i za trzy dni był. To były jeszcze czasy, kiedy byliśmy w opozycji. Przyniosłem zakupiony kapelusz Tuskowi. On go przejął, ale mocno zastrzegł: „Ani słowa o tym, że to ty go kupiłeś, tak żeby wyszło, że to ja się postarałem. Zresztą Rokita gotów go nie przyjąć, jakby się dowiedział, że to od ciebie". Tak też się umówiliśmy. I Donald kapelusz mu wręczył w prezencie. Kilka dni później Rokita wchodzi na jakąś naradę i od progu nawiązuje do tego wydarzenia. „Ale ja mam teraz fajny kapelusz" – uśmiecha się. A sam Donald na to: „No tak, Palikot ci kupił". „To niemożliwe, przecież od niego bym nie przyjął" – zaczął się denerwować. „Oczywiście, że nie, przecież zna pan Donalda, on zawsze sobie robi takie jaja" – ratowałem sytuację.

A to żartowniś z tego Donalda.

Właśnie to jest cały on. Bywa perfidny. Ale też nie pozwoliłby sobie na ten żart, gdyby nie był pewien, że ja zaprzeczę.

PAWEŁ GRAŚ

Z tego, o czym pan opowiada, można odnieść wrażenie, że z całego dworu Tuska to do niego zachował pan najwięcej sympatii?

To jest dla mnie postać wyjątkowa z powodów osobistych. Właśnie z nim poznałem swoją drugą żonę, Monikę. To był kwiecień 2006 roku. Prowadziłem kampanię samorządową na terenie

Lubelszczyzny i w ramach jej miałem zaplanowane na pewną sobotę spotkanie z Teatrem Gardzienice. Tymczasem Paweł zadzwonił do mnie bodaj w piątek, z pytaniem, co robię w sobotę. Opowiadał, że kupuje jakiś drewniany domek koło Włodawy, załatwia różne formalności i może by się mnie w czymś poradził. Był wtedy jeszcze z Julką, dziś żoną Huberta Urbańskiego znanego z programu telewizyjnego „Milionerzy". Zaproponowałem mu więc, żeby wpadł do mnie, pójdziemy sobie na przedstawienie Gardzienic, po którym jest zaplanowane przyjęcie, będzie więc okazja do miłego spędzenia wieczoru. I tak też się stało. Spotkanie w teatrze notabene prowadził Bronisław Wildstein, prywatnie bliski kumpel Włodzimierza Staniewskiego, twórcy Gardzienic. Siedzieliśmy z Pawłem i Julką chyba do czwartej nad ranem. I na tym przyjęciu poznałem właśnie żonę, która – jak się okazało – prowadziła galerię Gardzienic, kilkadziesiąt metrów od mojego domu w Lublinie.

Paweł był świadkiem początku naszej miłości. Bo to była miłość od pierwszego wejrzenia. Stąd moja słabość do Grasia. Co więcej, Paweł był i na naszych zaręczynach, i na ślubie we wrześniu, choć na tę uroczystość z założenia polityków nie zapraszaliśmy. Siedział przy stoliku z jednym wyjątkiem od tej reguły, Bronkiem Komorowskim, oraz z reżyserem operowym Mariuszem Trelińskim. Już po ślubie Graś wpadał do nas czasem, czy to do Lublina, czy na Suwalszczyznę. Był jakoś blisko naszego domu, z pewnością najbliżej ze wszystkich polityków PO. Nawet już długo po moim odejściu z Platformy, po tym jakimś programie telewizyjnym, gdzie we mnie ostro sieknął, wysłałem mu SMS-a: „Paweł, dziękuję za promocję". „Janusz, to ty jeszcze żyjesz?" – odpisał mi z uśmiechem. Zresztą po moim wyjściu z Platformy właśnie on kilka razy prosił mnie o spotkanie i wypytywał, co tam u mnie słychać.

Ale chyba już nie tylko z przyjaźni? Dziś to on z całego dworu jest najbliżej Tuska.

To ciekawe, bo nic nie wskazywało, że na końcu to właśnie on zostanie jedynym zaufanym premiera. Po pierwsze, wywodził się, inaczej niż reszta, z Ruchu Stu, a nie z Kongresu Liberalno-Demokratycznego. Był więc jak inna para kaloszy. Na spotkaniach dworu siedział raczej z boku i często reszta robiła sobie z niego jaja. „Wystarczy tylko dobrze najeść się i znaleźć sobie kobietę" – to motto właśnie Donald często przytaczał pod jego adresem. Jego rola zawsze sprowadzała się do tego, żeby kontrolować, czy i jakie powstają w partii koterie, kto z kim trzyma. Podczas spotkań, posiedzeń klubu chodził po sali albo stawał specjalnie na końcu, obserwując, kto na kogo patrzy, co kto komu szepcze do ucha. Również wieczorami chodził po pokojach poselskich napić się wódki, żeby być zorientowanym we wszystkich plotkach. W ten sposób weryfikował prawdziwy układ sił w partii i nastroje. Trzeba przy tym wspomnieć, że to on ma zdecydowanie najmocniejszą głowę w Platformie. Może wypić najwięcej i pić najdłużej. Moim zdaniem w ogóle nie jest w stanie się upić. Niezależnie od tego, jaką dawkę alkoholu przyjmie. A jak sobie troszkę popije, to świetnie śpiewa po góralsku.

Wracając do jego roli w PO, to on właśnie wybiegł za mną po słynnym zarządzie, na którym

Donald zorganizował nagonkę na mnie za wypowiedź o Grażynie Gęsickiej. Graś miał po prostu za zadanie sprawdzić, co zamierzam, co planuje, co myślę. To był naprawdę niesamowicie sprawny system, dzięki takiemu precyzyjnemu podziałowi ról oni długo cały klub trzymali w karbach. Ta rola Pawła faktycznie nie zmieniła się bardzo do dziś. Kiedy już odszedłem z partii nie bez powodu, to on właśnie, jak mówiłem, dzwonił do mnie, wypytując, co słychać. Szczególnie zagadywał mnie jednak w okresie tuż po wyrzuceniu Schetyny z rządu. Regularnie pytał, co słychać w klubie i w partii. Sprawdzał w ten sposób, jakie są moje realne relacje z Grzegorzem. Wiedział co prawda, że razem dobrze nie żyliśmy, ale paniczny strach ludzi Donalda wywoływała świadomość, że jestem zblatowany z Bronkiem Komorowskim. Obawiali się, że taktycznie pogodzę się ze Schetyną i we trójkę stworzymy ośrodek niebezpieczny dla premiera.

Graś w tej układance uchodził jednak długo za człowieka Schetyny. Jak to się stało, że nagle znalazł się tak blisko Tuska?

Przełomowy był moment, w którym dziennik „Super Express" wyciągnął sprawę tego, że Paweł mieszka w domu należącym do jakiegoś Niemca, w zamian za opiekę nad kamienicą. Rozpętała się medialna burza. Donald zwykle w takich sytuacjach chowa głowę w piasek, a gdy widzi, że problem jest duży, to przyłącza się do potępienia człowieka. Nie znosi takich kłopotów. Tym razem jednak ku zaskoczeniu wszystkich stanął publicznie po stronie Grasia. Taką diagnozę, że ten moment właśnie był dla niego jakimś zwrotem, postawił też sam Schetyna. Pamiętam, że kiedy został szefem klubu, poszliśmy we dwóch do praskiej restauracji Cedr pogadać o tym, jak możemy jednak w miarę zgodnie współistnieć. Grzegorz mówił wtedy, że jeśli będzie widział moją wolę, to spróbuje ze mnie zrobić tak zwanego poważnego posła. W pewnym momencie spytał właśnie, skąd moim zdaniem taka bliska relacja Pawła z Tuskiem. „Sądzisz, że on jest dziś już tak kompletnie z Donaldem po sprawie tej kamienicy. To ta kamienica?" – zagadnął. Odpowiedziałem, że tak właśnie myślę. Dlaczego wtedy premier stanął po stronie Grasia? Wydaje mi się, że mógł świadomie chcieć rozbić tę grupę. Po aferze hazardowej mógł się bać, że jednak jeśli wyrzuci wszystkich, łącznie z Pawłem, co też rozważał na początku, na koniec pozostanie w kancelarii sam. A po roku może się okazać, że cała grupa jest już z Komorowskim.

Zanim jednak Graś został rzecznikiem Tuska i jego najbliższym współpracownikiem, miał propozycję, by być w rządzie. Na samym początku został nawet pełnomocnikiem rządu do spraw bezpieczeństwa i koordynatorem do spraw służb specjalnych, by po niecałych dwóch miesiącach nagle zrezygnować. Co się stało?
To jedna z najbardziej tajemniczych spraw. Nigdy nie zapomnę pewnej scenki tuż po tym, jak Graś został pełnomocnikiem i zajął gabinet Zbigniewa Wassermanna. To było w kancelarii premiera. Wchodzę i widzę, jak siedzi, trzymając chyba coś

w ręku. Inaczej niż zawsze, na mój widok w ogóle nie zareagował. „Cześć, Paweł" – przywitałem się. A on nic. Zero reakcji. Żadnego ruchu. To był widok jak z filmu „Lot na kukułczym gniazdem". Wyglądał jak kompletny świr. Człowiek w całkowitej depresji, który za chwilę byłby gotów popełnić samobójstwo.

Dowiedział się pan, co się stało, co się kryje za tym zachowaniem?

Jego najwyraźniej tak przygniotły te służby i cały kontekst. Z późniejszych rozmów wiem, że w pokoju Wassermanna zastał drążek do podciągania. Może to go przeraziło? Przed jego oczyma stanęła wizja, w której aby to wszystko wytrzymać, trzeba podciągać się na tych drążkach.

To didaskalia. Ale naprawdę dlaczego zrezygnował tak szybko?

Nie wytrzymał tego psychicznie. To bez wątpienia.

Ale przecież to nie był laik. On wręcz uchodzi za człowieka służb. Przez tyle lat zasiadał w sejmowej komisji do spraw służb specjalnych i jego wiedza była ceniona.

Rzeczywiście, był uważany za człowieka służb. Może bał się, że wchodząc do nich, zdejmuje ostatecznie maskę? Możemy jednak tylko się domyślać. Pytałem go wtedy wiele razy: „Paweł, ale o co chodzi?". „O nic. Zostaw mnie" – odpowiadał tylko z wyraźnie załzawionymi oczami. Czy ktoś go szantażował? Czy dostał jakąś wiedzę na temat najbliższych mu osób? Wyglądał rzeczywiście na człowieka, który przeżył jakąś tragiczną, osobistą sytuację. Bardzo prawdopodobne, że za tym wszystkim stały jakieś informacje, na które natrafił w tamtym momencie. To by tłumaczyło też, dlaczego na fali afery hazardowej Donald pozostawił go przy sobie. To Graś wiedział więcej niż ktokolwiek inny.

Po rezygnacji z funkcji pełnomocnika jakby zupełnie znikł...

Tak, wyraźnie wycofał się, schował. Jednak jeszcze potem dostał w pewnym momencie propozycję zastąpienia Bogdana Klicha w Ministerstwie Obrony Narodowej. Ale tej funkcji przy pierwszym rozdaniu nie chciał. Wrócił dopiero jako rzecznik rządu. Trochę się opierał, ale Tusk mocno naciskał. Po Agnieszce Liszce [rzecznik rządu Donalda Tuska od 16 listopada 2007 do 1 lipca 2008 roku – przyp. red.] uznano, że musi nim być jednak ktoś z wewnątrz, zaprzyjaźniony, ktoś, kto wszystko rozumie i nie popełni błędu. Graś z kolei bał się przede wszystkim dlatego, że współpraca z premierem z takiej pozycji bywa ciężka. Szef rządu ciągle zmienia zdanie, bywa, że rano mówi jedno, by wieczorem powiedzieć coś kompletnie odwrotnego, twierdząc wręcz, że chodziło mu o co innego. Czasem zorientowanie się, co tak naprawdę zostało ustalone podczas narady, wymaga małpiego sprytu.

I teraz jest całkowicie lojalny wobec Tuska?

Całkowicie. Choć jest przy tym bardzo doświadczonym politykiem i inteligentnym człowiekiem, więc zręcznie lawiruje, żeby przez to nie zbudować muru w relacjach ze Schetyną.

**Ale gdyby jednak przyszedł moment,
że premier chce wykonać wyrok na Schetynie,
to Graś jest gotów mu w tym pomóc?**
      Nie mam wątpliwości, że tak. A taki scenariusz wcale nie jest i teraz nieprawdopodobny, bo faktycznie Tusk był już raz niemal gotów podjąć taką decyzję. Słyszałem, że przed słynnym zarządem, na którym „grillowano" Schetynę za krytykę reakcji polskiego rządu na raport MAK-u w sprawie katastrofy smoleńskiej, doszło do rozmowy Donalda ze Sławkiem Nowakiem i premier miał właśnie zakomunikować mu tę decyzję. Nowak ponoć próbował Tuskowi uświadomić, że zaczyna zachowywać się już zupełnie jak król, i ponieważ faktycznie nie ma żadnego powodu, by wyrzucać Schetynę, taki ruch zostanie uznany za dowód na to, że premierowi kompletnie odbiło. I ostatecznie Donald zmienił decyzję. Sądzę, że nie chodziło o to, co mówił sam Nowak, tylko o to, że on przyniósł Tuskowi jakiś sygnał ostrzegawczy od samego Komorowskiego.

RAFAŁ GRUPIŃSKI

**To chyba przykład najbardziej spektakularnego
zwrotu – od Tuska do Schetyny?
Uchodzi dziś za pierwszego stratega Schetyny.
Słusznie?**
      Tak, to z całego tego otoczenia człowiek, który najmocniej rozczarował się premierem. I chowa do niego największy uraz. Pamiętam taką rozmowę z Grupińskim, zaraz po jego odejściu z Kancelarii Prezesa Rady Ministrów, na fali wyrzucenia przez Tuska ludzi po wybuchu afery hazardowej.

„Problemem Platformy jest dziś Donald" – powiedział mi wtedy. „To on jest realnym problemem, ponieważ dla niego żaden człowiek nic nie znaczy. Mylisz się, Janusz, sądząc, że problemem jest Schetyna. Premier nie umie poszanować żadnej relacji międzyludzkiej. I w związku z tym pewnego dnia za jednym zamachem możemy wszyscy być równie dobrze usunięci przez niego z PO, w imię, rzecz jasna, dobrze pojętego naszego interesu. Musimy zatem sami walczyć o nasz interes. Trzeba wspierać Schetynę, bo inaczej Tusk nas wszystkich jak kaczki powydusza" – tłumaczył mi Grupiński. Ja mu wtedy odpowiedziałem, że nie do końca się z nim zgadzam, że jednak trochę przesadza. „Tak, bo ty w każdej chwili możesz wyjść z Platformy i założyć własną partię populistyczną. Te 10 procent zawsze utargujesz. A dla nas jednak PO jest ważna. I dlatego musimy bronić Schetyny, żeby zatrzymać satrapę Donalda" – odparł na to Rafał.

Wcześniej jednak był wyjątkowo oddany Tuskowi, miał swój udział w zwalczaniu Rokity.

Oj, jego rzeczywiście bardzo nie lubił. Choć to moim zdaniem nie było nic osobistego. Te gesty przeciwko Rokicie należy rozpatrywać w kategoriach walki o wpływy przy premierze. W 2006, jeszcze na początku 2007 roku, Grupiński miał bardzo dobrą opinię w Platformie, jako ten faktycznie prowadzący biuro prasowe, przygotowujący nas każdorazowo do kontrataku na PiS. Pełnił trochę taką rolę, jaką dziś sprawuje Igor Ostachowicz. Tusk w pewnym momencie doszedł do wniosku, że Igor jest po

prostu lepszy, sprawniejszy niż Grupiński ze swoim
takim akademickim sznytem. I to była główna kość
niezgody. Bo Rafał czuł się takim ojcem chrzestnym
Ostachowicza, ponieważ to on rzeczywiście przyprowadził go do Donalda.

**Ale jednak Ostachowicz i Grupiński to zupełnie
inny kaliber. Są jakby z innych światów.**
Nie ma co do tego wątpliwości. I właśnie
ta nadmierna inteligenckość Grupińskiego zaczęła
z czasem Tuska irytować. Bywa, że ona przeszkadza
w takim twardym widzeniu społecznych mechanizmów, w dostrzeganiu nastrojów ludzi. Tę umie-
jętność w większym stopniu ma w sobie jednak
Ostachowicz, choć nie jest tak oczytany i obezna-
ny w teorii jak Rafał. Z Grupińskim można czasem
ciekawie porozmawiać, to człowiek, który nie ma
filozoficznego wykształcenia, ale na przykład w kinie widział wszystko, co warto zobaczyć. O literatu-
rze też można z nim zagadać. Dlatego nie licząc już
Śpiewaka, to właśnie on obok samego Donalda jest
człowiekiem, z którym rozmowy są najciekawsze.

SŁAWOMIR NOWAK

**Rzeczywiście jest tak zupełnie, bezkrytycznie
zapatrzony w Tuska, jak niektórzy się śmieją
w kuluarach?**
Tak było, dopóki pracował u niego w kancelarii, ale dziś jest gotów zagrać na Schetynę. To, że
Donald go wyrzucił na fali afery hazardowej, zdając
w Sejmie na łaskę Schetyny, przelało kielich gory-
czy. Kompletnie nie potrafił zaakceptować faktu, że

został odstrzelony, i to, co bardziej dla niego bolesne, na żądanie właśnie Grzegorza, który godząc się na ogłoszenie, że sam podaje się do dymisji, postawił warunek, że Nowak odejdzie razem z nim. Długo żył jeszcze nadzieją, że wróci do Tuska. Na początku nie było jeszcze najgorzej, premier mu tłumaczył: „Będziesz ważny w Sejmie, będziesz pilnował w moim imieniu Schetyny, zostaniesz szefem komisji spraw zagranicznych". Ale potem okazało się, że komisji nie dostał, a Grzegorz to jego świetnie kontroluje i stopniowo eliminuje. W Nowaku musiała rosnąć złość na szefa rządu. Kiedy Drzewiecki odgrażał się po pijaku, że wykończy Donalda, on milczał. Wyrzucając go, Tusk pozwolił tym samym na upokarzanie go w klubie. Hartował go szczególnie Andrzej Halicki w imieniu Schetyny. Potem premier pozostawił go praktycznie samemu sobie w Kancelarii Prezydenta. Sławek miał z Donaldem umowę, że wejdzie do kancelarii Bronka, ale jako jej szef. Tymczasem Komorowski na szefa kancelarii powołał swojego człowieka Jacka Michałowskiego. A premier nic w sprawie Nowaka nie zrobił.

To Nowak sam sobie wymyślił, że będzie szefem kancelarii?
Wymyślił to sobie Tusk, żeby kontrolować przez lojalnego mu Sławka Komorowskiego. Pamiętam, jak Nowak mi mówił: „Jak nie będę szefem kancelarii, to nie idę do Bronka". Ja go uprzedzałem, że szefowanie może nie być realne, bo było do przewidzenia, że Komorowski jest świadomy sytuacji i będzie chciał mieć własnego człowieka. Dziś w Kancelarii Prezydenta to Tomasz Nałęcz jest gwiazdą

medialną, Michałowski rozgrywającym, a Sławek jest na najlepszej drodze, żeby ze Schetyną próbować wrócić do pierwszej ligi politycznej.

Ale Nowak już wcześniej podobno jak mało kto doświadczył tego, że Tusk potrafi być bezwzględny i okrutny?

To prawda, że za różne błędy był przez premiera wielokrotnie czołgany. Donald ochrzaniał go brutalnie, z buta. Kazał mu siedzieć nad czymś do drugiej w nocy, a nazajutrz wstawać o szóstej rano, ale to było jeszcze w granicach chorej, bo wojskowej, ale jednak jakiejś normalności. Nowak pokornie to znosił.

On w ogóle ma zadatki na poważnego polityka?

A dlaczego nie? Większość w polityce to marność. Tak zwani poważni to na ogół mało inteligentni! Sławek w sensie intelektualnym nie jest może gwiazdą, ale z drugiej strony świetnie odnajduje się w tych dzisiejszych mechanizmach politycznych. Komunikat polityczny, analiza poparcia, nastrojów społecznych, przewidywanie sposobu odczytania przez ludzi konkretnych wypowiedzi – w tym jest naprawdę sprawny. Jest dobrym PR--owcem, nie można go zupełnie lekceważyć.

A jednak za kuluarami bywa przedmiotem kpin?

Bo poza marketingiem nie ma nic do powiedzenia. Nie ma w nim żadnej substancji i w tym sensie jest plastikowy. Jego problem, podobnie zresztą jak Grzegorza Napieralskiego, polega na tym, że za wcześnie wszedł do poważnej polityki. I dziś pozostał taką wydmuszką. No bo jaki poważny facet mówi, że jego szef jest „dotknięty geniuszem"?

Prywatnie jest raczej stonowany?

Chyba najmniej zabawowy z całego dworu. Bardzo się zawsze pilnował, nigdy nie upijał. Nie wiem, na ile to wynikało z jego charakteru, a na ile z roli, jaką pełnił na dworze Tuska. To był jedyny człowiek z całej tej grupy, który niezależnie od wszystkiego od rana do wieczora musiał być czujny, w pogotowiu wykonywać określone czynności. Nigdy go nie widziałem wstawionego, zupełnie wyluzowanego. Jest nastawiony tylko i wyłącznie na karierę. I też dlatego nie zdziwiłbym się, gdyby teraz na dobre już był i grał w obozie Komorowskiego i Schetyny. Znając Nowaka, sądzę, że w ten sposób też zostawia sobie furtkę na wypadek, gdyby Platformie nie poszło w wyborach. Wtedy znów pozostaje opcja z Kancelarią Prezydenta.

W oczy rzuca się jego zawsze nienaganny wygląd.

Do wyglądu i ubioru przywiązuje wielką wagę. Drogo i dobrze się ubiera. Często właśnie na ten temat mnie zagadywał, dopytując się, gdzie się ubieram, lub opowiadając o swoich decyzjach w kwestii wyglądu. Kenzo – to jego ulubiona marka.

IGOR OSTACHOWICZ

Dlaczego wygrał u Tuska z podobno tak dobrym PR-owcem jak Nowak?

Bo jest o wiele bardziej inteligentny. To najbardziej inteligentny człowiek na dworze, choć ma najmniejsze doświadczenie polityczne z jego byłych już członków. I bardzo sprawny. Nowak w stawianiu tez o społecznym odbiorze konkretnych wypowiedzi, wydarzeń był poprawny. To jednak Ostachowicz odznaczał się w analizie prawdziwym wyrafinowaniem, pikanterią. Więcej rozumiał. Poza tym Igor, razem zresztą z Tomaszem Arabskim, przynosili Donaldowi taką ulgę, że to nie żadni przyjaciele z posiadówek, a po prostu dobrzy współpracownicy. Owszem, brał udział we wszystkich naradach, ale wpadał na godzinę, dwie, na konkretną rozmowę, nigdy z nimi nie przesiadywał przy winie. Od początku przyjął też bardzo słuszną, z punktu widzenia swoich interesów, taktykę – w ogóle nie rozmawia z dziennikarzami. W ten sposób właśnie zbudował swoją pozycję przy Tusku. Donald nie ma najmniejszego powodu sądzić, że przez niego cokolwiek wyciekło z kancelarii.

Rozgrywał pana w interesie Tuska? Prowadziliście jakieś wspólne czy w porozumieniu akcje?

Z pewnością na moje wszystkie ruchy spoglądał, jak na wszystko, z punktu widzenia premiera. On był na wyłączność dla Tuska. Czasem konsultowałem z nim niektóre ruchy, a on mi doradzał, ale na pierwszym miejscu był zawsze wizerunek szefa rządu i tylko to go zajmuje. To on też doradzał usunięcie Schetyny. Naturalnie, że osłabienie dworu było w jego interesie. Wcześniej zresztą bywało, że

Grzegorza podgryzał, pokazując Donaldowi mielizny jego pomysłów.

Ale czy rzeczywiście, jak to rysują niektórzy, jego realny wpływ na Tusk, na wydarzenia, jest tak poważny, że wręcz można go uważać za wicekróla na tym dworze?
To kompletnie przesadzone opinie. Ostachowicz jest fantastycznym, ale tylko narzędziem w ręku premiera, który sam wszystko kontroluje. Owszem, słucha Igora, ale decyzje podejmuje sam. To Donald wskazuje zawsze: idziemy w tę albo w tamtą stronę. A on tylko pomaga to wykonać, myśli, jak to opisać, sprzedać, przekazać. W sprawach politycznych, zasadniczego kierunku, znacznie poważniejszy wpływ na Tuska ma Jan Krzysztof Bielecki.

Co było największym do tej pory sukcesem Ostachowicza?
Pomoc w rozegraniu afery hazardowej oczywiście.

On autentycznie podziwia Tuska?
Nie, to jest z jego strony raczej zimny profesjonalizm. Zupełnie inaczej niż w przypadku Drzewieckiego czy Nowaka. Po prostu zapewnia mu pełny serwis – dostarcza dokładnie to, czego Donald chce. Daje mu spokój.

Jakie pierwsze skojarzenie przychodzi panu na myśl o Ostachowiczu?
Przezroczysta mównica na trawniku. Niebieski garnitur. Pilnowanie tego typu szczegółów.

I ta przewrotność w myśleniu. Wszyscy mówią, że rząd będzie musiał stracić na reformie emerytur pomostowych, a on mówi, że wcale nie, i przekonuje, że może być inaczej.

JAROSŁAW GOWIN

Z takim zdecydowanym konserwatystą jak ten polityk od początku musiało być panu nie po drodze...

Właśnie nie. Ja się z nim spotykałem jeszcze w 2005 roku, kiedy nie był posłem. Dyskutowaliśmy w ramach wspomnianych już spotkań organizowanych w Krakowie przez ojca Macieja Ziębę. Dziesięciu facetów, takie samcze wymądrzania się. W tamtym przedsejmowym czasie zjedliśmy również kolację, jako że ktoś z „Tygodnika Powszechnego", w którym wówczas pisywałem, poprosił mnie, bym pomyślał o ufundowaniu jakichś stypendiów dla studentów uniwersytetu, na którym Gowin pracował. To była, pamiętam, bardzo dobra, ciekawa rozmowa, mimo jego rzeczywiście mocno przebijającego już wtedy konserwatyzmu. To człowiek bez wątpienia ideowy.

Ale już w Sejmie, w Platformie, tę ideowość przestał pan doceniać?

To było tak, że dwór był od początku bardzo krytycznie do niego nastawiony. Szczególnie Schetyna i Drzewiecki wręcz na niego szczuli. Mówili, że on buduje frakcję, knuje, że jest jakiś niepewny. Ja wtedy się z nimi trzymałem i przez pewien czas z tą linią wobec Gowina utożsamiałem. Ale potem wszystko się zmieniło. Pamiętam, że pewnego dnia na posiedzeniu klubu, kiedy jego szefem był już Grzegorz, wystąpiłem z jakimś wnioskiem i ku mojemu zdumieniu to właśnie Gowin wstał i niespodziewanie mnie poparł. Potem podszedłem do niego, by podziękować, i on sam zaproponował, żebyśmy się spotkali i pogadali. Poszliśmy na kolację, bodaj do restauracji Dyspensa. Złożyłem mu wtedy propozycję, żebyśmy mimo różnic zwarli szeregi i we dwóch wykosili Schetynę, by mieć więcej przestrzeni. On nie mówił „nie". Opowiadał przy tym o swoich kłopotach w Małopolsce, o użeraniu się z działaczem PO Ireneuszem Rasiem.

Ale w końcu nie zawarł z panem porozumienia przeciwko Schetynie?

Rzeczywiście nie. Moim zdaniem on wtedy prowadził już równoczesne rozmowy z samym Schetyną. I na koniec się z nim dogadał. Przeciwko Tuskowi. Doszło i do niego, że skoro Grzegorz został skasowany przez Donalda, to i on wcześniej czy później może zostać ścięty. Od tego momentu Gowin uznał, że to Tusk jest autentycznym problemem Platformy. Trzeba przyznać, ma talent polityczny. Ale przywódcą nigdy nie będzie.

Dlaczego? Czego mu brakuje?

Jakiejś pasji, determinacji. Za to jest maksymalnie nastawiony na grę z mediami. Praktycznie nie odkłada telefonu komórkowego.

To możecie sobie przybić piątkę?

Oj tak! Moglibyśmy się wymienić doświad-
czeniami. Przy czym ja SMS-ami trochę zbywałem
te kontakty, a on permanentnie ma słuchawkę przy
uchu.

Jest też konserwatystą w praktyce?
Tak, w życiu raczej też. Nigdy przy mnie nie
pił alkoholu, nie pali. Widać, że jest bardzo uważny
w kontaktach, bardzo się kontroluje. Przede wszystkim nastawiony jest na karierę, ale z odrobiną cynizmu. Schetyna i kilku innych kolportowało plotkę
o jego romansie z Joanną Muchą, ale nie wiem, czy
to była prawda. W każdym razie pamiętam, jak kiedyś z Grasiem zobaczyliśmy ich razem, wchodząc do
sushi baru na Kruczej w Warszawie. Mucha na nasz
widok cała zrobiła się czerwona.

JOANNA MUCHA

**Jak to się stało, że nagle wybiła się z masy
Platformy?**
Jest nieprawdopodobnie ambitna i zdeterminowana, by zrobić medialną karierę. Poznałem ją
jeszcze jako doktorantkę na Katolickim Uniwersyte-
cie Lubelskim, była absolwentką profesora Krzysztofa Obłoja. To właśnie ten uczony ekonomista skon-
taktował ją ze mną, po tym, jak wydałem z nim
swoją pierwszą książkę „Myśli o nowoczesnym biznesie. Teoretyk i praktyk". Mucha zaprosiła mnie do
siebie, żeby zrobić jakieś seminarium. Potem zni-
kła mi z oczu na jakieś półtora roku, po czym, kiedy przyszedłem do Platformy, okazało się, że ona
jest w niej także. Pełniła na szczeblu lokalnym bar-

dziej administracyjne funkcje. W latach 2005 – 2007 była naprawdę bardzo zaangażowana i oddana partii. Poświęcała jej dużo czasu, była absolutnie wyróżniającą się osobą spośród tamtejszych działaczy, sprawując funkcję m.in. pełnomocnika do spraw finansowych. I to mi się w niej spodobało, kiedy powierzono mi region lubelski. Postawiłem na nią i jej podobnych młodych ludzi, widząc w nich nadzieję na nową jakość w PO. Powołałem Akademię Obywatelską i właśnie jej powierzyłem prowadzenie. Dzięki temu poznałem ją bliżej. Okazała się nie tylko sprawną, ale też dość inteligentną kobietą. Zdjęła ze mnie praktycznie wszystkie urzędowe, biurokratyczne sprawy. Dlatego kiedy pojawił się pomysł, by kandydowała do Sejmu, od razu stałem się jego entuzjastą.

To jak doszło do tego, że w Sejmie zostaliście wrogami?

Pazur po raz pierwszy pokazała już w trakcie kampanii wyborczej. Ewidentnie próbowała zdobyć głosy na atakowaniu właśnie mnie. Mnie, któremu w stu procentach wszystko w polityce zawdzięczała! Połączyła się z jednym z działaczy, Piotrem Franaszkiem, i prowadziła przeciwko mnie kampanie SMS-owe. To było dla mnie naprawdę bardzo przykre zaskoczenie. A już później, w Sejmie, dwór z Tuskiem uznał, że można ją dobrze wykorzystać do akcji mającej na celu dowieść, że byłem w coś uwikłany na Lubelszczyźnie. Kiedy chcieli mnie osłabić, zaczęli promować ją w tym regionie, jako alternatywę dla mnie. Podpompowywali ją. Na szczęście ona sama popełniła wiele błędów. A jednym z jej podstawowych potknięć w Platformie było zawalenie relacji z dziewczynami.

Nie lubi kobiet?

Po pierwsze, miała, trzeba przyznać, trudną pozycję wyjściową: ładna, inteligentna, podobająca się kolegom, którzy ewidentnie ją ciągną w górę. Naturalnie więc już na dzień dobry wszystkie kobiety były wobec niej lekko na „nie", wzbudzała zazdrość swoją urodą. A ona sama nie zrobiła nic, by się z nimi zaprzyjaźnić, udowodnić, że jest inaczej. Przeciwnie, prowokowała, szła do przodu, nie dbając w ogóle o relacje z kobietami, konsekwentnie budując swoją pozycję poprzez męską część klubu. To kobieta w pełni świadoma swoich atutów i korzystająca z przewagi, jaką jej daje uroda. To wywołało napięcie. Szczególnie z Ewą Kopacz miała na pieńku.

O co poszło?

Kopacz, jak wszystkie kobiety, po części pewnie irytowała jej uroda. Mucha miała ambicje, by w pierwszym szeregu zajmować się służbą zdrowia. Była w komisji zdrowia. Nie wiem dokładnie, o co poszło; chodziły słuchy, że Mucha próbowała kogoś wsadzić do Narodowego Funduszu Zdrowia, na co Kopacz się nie godziła. W każdym razie niechęć była między nimi od początku.

A rzeczywiście oglądali się za nią koledzy z partii?

Tak, to było bardzo widoczne. Te spojrzenia... Była bez wątpienia przedmiotem westchnień i marzeń męskiej części klubu. Wiem, że to żenujące trochę, ale taka jest rzeczywistość.

Kogoś szczególnie urzekła?
Na pewno do tej grupy należał Schetyna. Ale to w ogóle było powszechne zjawisko. Niemniej kariery poważnej nie zrobiła. Moje wyobrażenie o jej kompetencjach okazało się zbyt optymistyczne. Mucha to jedno z moich większych rozczarowań.

CEZARY GRABARCZYK

To rzeczywiście taki twardy gracz w PO, jak się mówi?
Nieprawdopodobny mandaryn! Odkąd pamiętam, zawsze chodził po klubie, po Sejmie od człowieka do człowieka. I tak dzierga te swoje wpływy. Ze wszystkich liderów PO pije najmniej alkoholu. Ale chodzi i zagaduje, zaprasza na kawę, dopytuje, jak sprawy idą, czy ktoś ma jakieś problemy, czy może w czymś pomóc; gdy słyszy o jakimś konflikcie, podchodzi, zachęcając, by z nim o tym pogadać. Pamięta dziesiątki drobiazgów o każdym: co kto lubi, kiedy ma imieniny, a kiedy inne święto. Praktycznie non stop gada z posłami, nie pomijając żadnego regionu. Był u mnie w gościnie bodaj w 2008 roku. Jedliśmy wtedy kominki, takie charakterystyczne czarne grzybki, które występują tylko na Lubelszczyźnie, a robi się z nich pierogi bądź, tak jak wtedy je jedliśmy, przyrządza zesmażane lekko z czosnkiem na oliwie. Takie trufle dla ubogich, można powiedzieć. Od tego czasu nie było spotka-

nia, na którym Grabarczyk by nie kokietował: „Janusz, ja będę w Lublinie i chętnie się z tobą spotkam, ale tylko pod warunkiem, że znów będą kominki". Z kolei posłanki bierze na przykład na taki chwyt: „Przyjadę do ciebie, ale tylko, jak będziesz w tej sukience, w której widziałem cię na ostatnim posiedzeniu klubu".

Słowem, nie tylko ze względu na imię mówią o nim „Czaruś"?

Oj tak. Tu kawka, tam spotkanko. Nigdy nie mogłem wyjść z podziwu. Ma niezrozumiałą dla mnie zdolność prowadzenia rozmów o wszystkim i o niczym, godzinami gadania pitu-pitu. Aż się śmiałem z niego. „Czarek, skąd ty to masz?!".

Ale Tuska chyba tak naprawdę nigdy nie oczarował?

Donald go nie znosił, ale też długo patrzył na niego oczami Schetyny, który od początku dążył do wykończenia Grabarczyka. Wyczuwał, że Czarek próbuje sobie zbudować realną siłę w partii, że buduje „spółdzielnię". To było tym groźniejsze, że inaczej niż w przypadku pozycji Grzegorza, te relacje Grabarczyka z ludźmi w partii były i są budowane nie na strachu, tylko właśnie na takim brataniu się, na rozmowach pitu-pitu. A przez to relacje te stawały się bardziej emocjonalne. Potem zaś Czarek zafundował Tuskowi ekstremalne doświadczenie. To, że wygrał dla Bogdana Zdrojewskiego fotel szefa klubu w konfrontacji z kandydatem samego Donalda, czyli ze Zbigniewem Chlebowskim, było dla premiera szokiem. Nigdy nie zapomnę jego wyrazu twarzy. Wielu co prawda ostrzegało, że Grabarczyk montuje taką koalicję, ale Tusk to lekceważył. „Nie ma się czym przejmować. Wyjdę na klubie, powiem, co trzeba, i tak będzie" – machał ręką. A tu nagle Zdrojewski wygrał. Po tym klubie premier długo siedział osłupiały, patrzył z niedowierzaniem na Schetynę i na innych niczym człowiek, któremu nagle zabrano ubranie i który nie może się nadziwić, jak to się stało. To był obraz kompletnie znokautowanego gościa.

**A Tusk nokautów chyba
nie ma w zwyczaju darować?**
 Owszem, wtedy przebudził się szybko. Nie mógł patrzeć na Grabarczyka. Rozpoczęły się setki spotkań na temat tego, że Czarek będzie zdjęty, wykończony, wykluczony. Niektórzy snuli plany, że Drzewiecki z pomocą Iwony Śledzińskiej-Katarasińskiej przyblokują go w Łodzi. Ale trzeba też przyznać, że Grabarczyk nie jest głupi i nie podstawia się łatwo. Jego strategia zawsze polegała na jednej zasadzie: walczyć o wpływy, ale nigdy nie mówić źle o Tusku. Zawsze atakować tylko Schetynę. Przy każdej możliwej okazji kopał w Grześka. Kiedy zaś wtedy ograł Tuska, natychmiast pobiegł do niego z winem. Na jakiejś naradzie dwa, trzy dni później, wszedł i ostentacyjnie postawił butelkę dla Donalda. I lawirował, aż sytuacja się zmieniła – Schetyna stawał się wrogiem dla premiera i w końcu on musiał taktycznie postawić na Grabarczyka. Tym bardziej że jednak nigdy nie pamiętał go z ataków na siebie. A to, jak zdobyć akceptację szefa rządu, stało się z czasem jego obsesją.

Ale już wcześniej Tusk wziął go jednak do rządu...

Tak, tyle że nie na ministra sprawiedliwości, jak chciał i spodziewał się Grabarczyk. Miał ten fotel obiecany, pełnił tę funkcję w gabinecie cieni PO. A do tego był wybierany w rankingach na najlepszego posła w Sejmie. Dostał jednak za karę Ministerstwo Infrastruktury, co wszyscy zgodnie uważali za śmierć polityczną. I byli przekonani, że Czarek się wyłoży, że ta nominacja jest po to, żeby w rok go zamordować. Dlatego zresztą wielu, włącznie ze mną, go ostrzegało: „Nie bierz tego. Dają ci to po to, by cię skasować". Tłumaczyłem mu, że jeśli teraz się powstrzyma, to będzie w klubie rozdawał karty, i wcześniej czy później zostanie ministrem sprawiedliwości. I zresztą historia pokazała, że gdyby wytrzymał, to po roku by nim został.

To czemu dobrowolnie wszedł na to pole minowe?

Ego i ambicje wzięły górę. Chciał szybko być ministrem. A potem ja sam dwukrotnie dostałem propozycję, żeby go zastąpić. Raz w 2008 roku, tuż przed narodzinami mojego synka Franka, przyjechał do mnie w tej sprawie Schetyna ze swoim ówczesnym zastępcą w MSWiA Tomaszem Siemoniakiem. „Jest decyzja Donalda, żebyś został ministrem infrastruktury. Chcemy skasować Grabarczyka" – zakomunikował mi Schetyna, kiedy znaleźliśmy się sami. To był czas, kiedy Czarek właśnie coś zawalił z autostradami i wybuchła burza. „Decydujesz się czy nie?" – naciskał Grzegorz, wychodząc. Ale wtedy po pierwsze, żona miała zaraz rodzić, a po drugie, moja sejmowa komisja odnosiła sukcesy, byłem na fali, były szanse na sukces w walce z biurokracją. Odpowiedziałem mu, że nie mogę tego wszystkiego zostawić, że jestem gotów wziąć to za pół roku. „Albo teraz, albo nie" – odparł jednak Schetyna. Pół roku później, już po sprawie mojej wypowiedzi o Grażynie Gęsickiej, tę propozycję dla mnie ponowił jednak sam Tusk. W zasadzie do 2009 roku cały czas trwały dyskusje o wywaleniu Grabarczyka. Bywałem świadkiem, jak jest ochrzaniany, poniżany przez premiera. Ale początkowo to była kwestią tego, że Donald nie chciał go wywalić za szybko, szukał odpowiedniego momentu, by porażki móc zdecydowanie zwalić tylko na niego i wyjść w ten sposób obronną ręką z zaniedbań w kwestii autostrad. Potem zaś szukano kogoś, kto mógłby go zastąpić. A na koniec cała koncepcja wykończenia Grabarczyka resortem infrastruktury zawaliła się w związku z aferą hazardową. Właśnie mniej więcej w tym czasie miał być ostatecznie zdjęty. Ale potem poszło na noże między Schetyną a Tuskiem i Grabarczyk Donaldowi stał się potrzebny.

Dlaczego Grabarczyk ze Schetyną tak się nie cierpią?

To przede wszystkim walka o wpływy u Tuska. Ale też wywodzą się z innych środowisk. Ta walka to element rozgrywającej się w Platformie konkurencji między dawnym Stronnictwem Konserwatywno-Ludowym a Kongresem Liberalno-Demokratycznym. Nawiasem mówiąc, biorąc pod uwagę kryterium siły, to nie Gowin, a Grabarczyk właśnie powinien uchodzić za prawdziwego lidera frakcji konserwatywnej w PO. Ma zdecydowanie konserwatywne poglądy.

A prywatnie pan go lubi?

Jest potwornie nudny i zapatrzony w siebie, narcystyczny. Mówi rozwlekle i powoli. Nie byłem w stanie się z nim zaprzyjaźnić, choć, w odróżnieniu od wielu innych, doceniam go za tę mrówczą robotę w klubie. A w ostatniej fazie naszych kontaktów graliśmy razem i wspierałem go publicznie. Taktycznie rzecz jasna – tylko przeciw Schetynie.

BOGDAN KLICH

Był bodaj najczęściej wskazywany jako najgorszy minister, za chwilę do odstrzelenia. Słusznie?

Ma kompleks prymusa. Chce być na każdym polu uważany za najlepszego. I jak to prymus, zawsze sprawia wrażenie człowieka do dyspozycji, gotowego stawić się na rozkaz. Zdecydowanie brakuje mu męskości. Siły. Nie jest zdolny tak naprawdę pobić się o jakąś sprawę. Strasznie przeżywa krytykę pod swoim adresem. Za każde słowo suszy głowę, męczy swoimi żalami. Jak tylko publicznie powiedziałem o nim coś krytycznego, natychmiast dzwonił. „Jak mogłeś to powiedzieć, proszę cię, żebyś to natychmiast sprostował, to mnie przecież spadły dwa samoloty" – skarżył się na przykład. „Bogdan, właśnie tobie spadły. Każdy minister na twoim miejscu powinien zostać odwołany. Taka jest prawda. Dlaczego Tusk cię trzyma? Może to jeszcze nie moment" – odparłem mu wtedy już wprost. Całkowicie bezpłciowy facet. Niby ma jakąś wiedzę, dużo pracuje, przygotowuje się, ale jest słaby.

To dlaczego Tusk postawił go na czele MON-u?

Ministrem obrony jeszcze od wyborów w 2005 roku miał być Paweł Graś, ale jak przyszło co do czego, odmówił. Numerem dwa w PO, nadającym się realnie na to stanowisko, był Bogdan Zdrojewski – to jednak przypadek Grabarczyka; po tym, jak go ograli przy wyborze szefa klubu, Tusk mu nie ufał. A poza nimi tak naprawdę nie było dobrego kandydata. I to, z tego, co wiem, Paweł Graś podsunął Klicha. Ale w sumie on się dobrze wpisuje w ten rząd. Bo przecież to z założenia miał być rząd mierny, funkcjonalny wobec Tuska.

ZBIGNIEW CHLEBOWSKI

Dla każdego, kto znał tego polityka, jego głupia porażka musiała być zaskoczeniem?

Dla mnie tak, choć powszechnie wiadomo było, że to pierdoła. To śmieszna i tragiczna zarazem postać. Zawsze przypisywał sobie wszystkie zasługi. Wszystko, co się działo, to musiał być Chlebowski. „Rostowski to zrobił? Janusz, tak naprawdę to ja wszystko przygotowałem. Że też Donald tego nie rozumie!" – przekonywał mnie często. Sprawiał wrażenie, jakby wszystko, cały klub i partia, tak naprawdę były na jego głowie. No i jak coś trzeba, to wszyscy do Zbyszka – dawał do zrozumienia.

Mitoman?

Straszny. Ale właśnie dlatego, że był takim swoistym egotykiem, nigdy nie przyszłoby mi do głowy, że się wpakuje w coś takiego jak afera hazardowa. Jak to się stało? Do dziś tego do końca nie rozumiem. Nie był pozbawiony zalet. Był momentami merytoryczny i bardzo pracowity. Ale jednocześnie strasznie prowincjonalny i zakompleksiony.

W czym ten prowincjonalizm się objawiał?

W szpanowaniu różnymi rzeczami, rzekomymi swoimi wpływami, zasługami, dokonaniami. Ale też w sposobie ubierania się, języku, takim sztucznym, technokratycznym.

To musiało tym bardziej boleć, gdy jako szef klubu strofował pana i groził karami?

To było żenujące. To mnie rzeczywiście realnie upokarzało.

Dlaczego akurat on został szefem klubu po zwycięskich wyborach?

To przede wszystkim Schetyna stał za tym wyborem. Z Donaldem byli przekonani o jego całkowitej lojalności. On sam, jak wiadomo, bardzo chciał być ministrem finansów. Kiedy usłyszał, że nim nie będzie, po prostu się popłakał. Bardzo ciężko to przeżył. Byłem świadkiem, jak Tusk mu przekazywał, że jednak zostanie szefem klubu. To były niesamowite jaja! W duchu pękaliśmy ze śmiechu. „Zbyszku, dasz radę, proszę cię, jak ty tego nie weźmiesz, to nie damy rady" – ironizował Tusk. „Zbychu, dasz radę, dasz radę" – zagrzewał Grzesiek. I tak go wkręcali, aż on naprawdę uwierzył, że o to przed nim heroiczne wręcz zadanie, że to w jego rękach leży przyszłość klubu. Potem Donald zwrócił się do mnie, zapewne w środku już płacząc ze śmiechu: „Janusz, musisz nas dziś zaprosić na kolację, bo dziś Zbyszek wziął na siebie wielkie zadanie". No i zasponsorowałem rzeczywiście kolację u Magdy Gessler, w restauracji Gloria. Chlebowski był jak to cielę przekonany o swojej wielkości. I tak do końca już powtarzał, że sam wszystko ciągnie, że bez niego to ten klub by się zawalił.

Jak zareagował na wybuch afery hazardowej?

Miał poczucie ogromnej krzywdy. To było niesamowite. Wtedy ostatecznie się okazało, że on w ogóle nie rozumie politycznych realiów. Przypomina jakąś figurę z teatrów lalek, à la Pinokio. Był kompletnie zdumiony tym, co po ujawnieniu stenogramów jego rozmów się rozpętało. „Przecież ja nic złego nie zrobiłem" – powtarzał. Nie czuł odpowiedzialności, nie rozumiał znaczenia swojego zachowania i tego, do czego ono politycznie doprowadziło. Już po degradacji z szefa klubu kilka razy widziałem go popłakującego. I choć nie był pijakiem, przez tydzień nie trzeźwiał. Nie rozumiał i nie potrafił pogodzić się z tym, że to jest jego polityczny koniec. „Janusz, ale ty rozumiesz przecież, jak to było, powiedz im, wytłumacz" – prosił mnie. „Chłopie, ty się ciesz, że w więzieniu nie siedzisz" – odparłem mu. „Ale przecież ja nic nie zrobiłem, nie wziąłem żadnej łapówki" – przekonywał. „Nie, tylko o mało co nie wysadziłeś całej partii i rządu w powietrze" – wypaliłem.

**Był pan świadkiem jakiejś jego rozmowy
z Tuskiem?**

Nie. Ale problem polegał też na tym, że nawet jako szef klubu Chlebowski tygodniami w ogóle nie miał kontaktu z Donaldem. Premier wszystko z nim załatwiał poprzez Schetynę. Zbyszek cierpiał z tego powodu. Nieraz mnie prosił, żebym coś przekazał Tuskowi, wytłumaczył, bo wiedział, że mam z nim częstszy kontakt. Ale on go po prostu nie lubił, nie cenił. Chlebowski nie był więc dopuszczany.

Ale miał dobry kontakt z mediami.

Na media miał ciąg. I wiadomo było, że jak potrzebny jest puder, to do Chlebowskiego. Kiedyś sam od niego pożyczyłem, bo miałem akurat coś skomentować. Pamiętam, jak wówczas z nabożeństwem otworzył swoją specjalną szafeczkę w gabinecie, w której było lustro i właśnie puder. To było dla niego najważniejsze. Każdą rozmowę potrafił przerwać, żeby się popudrować, kiedy wiedział, że zbliżają się dziennikarze. Lubił się też chwalić, że ma pełny skład alkoholu. Dumnie otwierał barek w swoim sejmowym gabinecie i pytał: „Janusz, czego się napijesz?". Kiedyś złośliwie podarowałem mu dziesięciolitrową flaszkę whisky, jako zachętę, by przyspieszył prace nad projektami komisji Przyjazne Państwo, które akurat zalegały. Prezentu ostentacyjnie nie przyjął i grał obrażonego. Tego dnia wieczorem znów się spotkaliśmy i mi wygarnął: „Janusz, dotknąłeś mnie do żywego tym czerwonym Johnnym Walkerem! Dlaczego nie czarny?! Jak mogłeś mnie tak potraktować?! Donaldowi byś takiego na pewno nie dał". Ale kilka dni później, kiedy była

jakaś okazja, przyszedł i zapytał, czy mam jeszcze tę
flaszkę, bo by się mu właśnie przydała.

STEFAN NIESIOŁOWSKI

**Z tym politykiem musiała pana chyba
łączyć wyjątkowa więź? Swój – można
powiedzieć.**
Bez przesady, ale rzeczywiście bardzo go lubiłem. Zawsze z nim chętnie gadałem. Uwielbiam tę
jego pasję, energetyczność, jakiej nie ma nikt. Dzi-
siaj takiej bomby energetycznej w polityce nie ma
w sobie chyba nikt.

I nienawiści do Kaczyńskiego?
Właśnie tego u niego akurat nie cenię. Choć
występowaliśmy rzeczywiście z podobnych pozycji,
nigdy nie było między nami rywalizacji o to, kto jest
bardziej antykaczystowski, kto jest tą twarzą Platformy. To funkcjonowało na zasadzie uzupełniania
się. Czasem gratulował mi wystąpień. Ale ja jestem
daleki od nienawiści. On czasami przesadzał w tym
zaślepieniu.

I kto to mówi?!
Ale naprawdę ja w tych swoich atakach byłem bardziej merytoryczny. Zwalczałem Kaczyńskich, bo uważałem ich po prostu za zagrożenie.
W tym nie było nic osobistego, szczególnie w stosunku do Lecha. A Stefanem kieruje osobista zadra,
która przerodziła się w obsesję. Nawet przy moich
najmocniejszych zagrywkach to, co on czasem robił,
to była już jednak chamówa. Zawsze, kiedy Jarosław

Kaczyński przemawiał w Sejmie, Stefan mu z sali przerywał, prowokował, wykrzykując do niego na „ty". „Ty, naucz się, poczytaj jeszcze więcej Gomułki" – wołał na przykład. Świetnie wiedział, że jego to wyprowadza z równowagi. I rzeczywiście Kaczyński za każdym razem dawał się podpuścić. „Nie jesteśmy na »ty«, panie marszałku" – odpowiadał.

Za co Niesiołowski tak się mści?

Za to, że Kaczyńscy nie wzięli go na listy PiS-u w wyborach w 2005 roku. Stefan chciał startować do Sejmu i był w tej sprawie na rozmowach z Jarosławem Kaczyńskim. Ponoć ten go potraktował w sposób wyjątkowo lekceważący i pogardliwy. Nie było mowy nie tylko o jedynce, ale o żadnym innym miejscu na liście. I wtedy, z tego, co słyszałem, to Schetyna przyprowadził Stefana do Platformy. W PO on zawsze mnie bronił, a ja jego. W sporach wewnątrzpartyjnych Niesiołowski nigdy nie zabierał głosu, by przypadkiem nie połączono go z którąkolwiek frakcją. Ze wszystkimi w partii starał się żyć dobrze, idąc zgodnie z głównymi dyrektywami partyjnymi. Po prostu mocno propartyjnie nastawiony. Aż do bólu.

Jest rzeczywiście kompletnie bezkrytyczny wobec Tuska?

Tak, Stefan jest jak nie profesor, zupełnie jednowymiarowy. Ale najbardziej wzruszająca i niesamowita scena, jaką zapamiętałem z polityki, wiąże się właśnie z nim. To było, kiedy raz jeden wspólnie jedliśmy posiłek. Po skończeniu wyczyścił chlebem talerz, do końca. Wyczyścił tak, że można go było praktycznie nie myć. „Tak już mam" – rzucił tylko, kiedy na niego spojrzałem oniemiały. To zachowanie to była trauma po więzieniu, po komunie, trudnych czasach. Poza tym Stefan nie pije wina, raczej lubi wypić kieliszek wódki. Jest fanem wódki orkiszowej Biała Pantera, Snow Leopard. To bardzo droga wódka, którą ja i moja firma sprzedawaliśmy w Anglii. Butelka kosztowała około 1 tysiąca złotych, ale umowa była taka, że 70 procent zysków szło na ochronę panter. I zawsze gdy Stefan mnie spotykał, prosił: „Pamiętaj, przyjacielu, przywieź mi butelkę tego Snow Leoparda". Poza tym kobieciarz.

Co ma pan na myśli?

Z racji wieku już teraz mniej da się to u niego zaobserwować. Ale jego uwagi, żarty, komentarze pod adresem przechodzących kobiet nie pozostawiają wątpliwości, że jest kobieciarzem. Nie wiem, czy się za nimi uganiał, ale na pewno bardzo zwracał na nie uwagę.

Rozmawialiście na poważnie o Kaczyńskich?

Mnie się nigdy nie zdarzyło przeprowadzić z nim do końca szczerej rozmowy. On był zawsze jakby „zrobiony". Mówiąc, czuło się, że on cały czas pozostaje za jakąś kotarą. Niby był miły, życzliwy, gawędził, ale nie dało się dotknąć jego osobistego przeżywania. Trochę tak jak z obcowaniem z Komorowskim.

Dziwne trochę, że ze swoją przeszłością w Zjednoczeniu Chrześcijańsko-Narodowym tak dobrze odnalazł się w Platformie.

Rzeczywiście jego wejście do PO nie miało nic wspólnego z jego poglądami. Ale też trzeba mu przyznać, że w jego stosunku do Kościoła nie ma cynizmu. Nie lubi Gowina, ale to nie zmienia faktu, że ma autentycznie katolicką orientację. I zawsze głosuje zgodnie ze swoim sumieniem. Paradoksalnie zresztą on miał mniej kłopotów w PO, jeśli idzie o zgodność z własnym światopoglądem, niż ja. Sądzę, że nigdy sam nie wyjdzie z Platformy, zawsze, do końca będzie bronił jej głównej linii. Ale głosować będzie zgodnie ze swoim sumieniem.

Jest lubiany w PO?
O tak! Bo uderza w Kaczyńskiego na pierwszym froncie. I tym bardziej że nie ma żadnych ambicji politycznych, nigdy nie zabiegał o żadne stanowiska dla siebie. Ale Tusk uważa, że dziś już bardziej szkodzi, niż pomaga!

JAN KRZYSZTOF BIELECKI

Legendy zaczęły już krążyć wokół roli, jaką ten ekonomista zaczął w pewnym momencie, a może tak naprawdę od początku pełnić. Jaka jest faktycznie jego pozycja?
Najlepsze określenie, jakie mi się nasuwa automatycznie na myśl o Bieleckim, to macher od korzyści z trzymania steru rządów. Przy czym korzyści bardzo różnych: od wizerunkowych do finansowych. W skrócie jego zadaniem jest konsumpcja tego, co Tusk zdobywa politycznie. Faktycznie ma pozycję wyższą niż na przykład wicepremier rządu. Trudno tu mówić o jakiejkolwiek podległości. Re-

lacje Donalda z Bieleckim opierają się na zasadzie partnerstwa. To drugi premier rządu PO-PSL. Ja sam gdzieś po 2007 roku zorientowałem się, że to nie dwór rządzi przy Tusku, tylko właśnie Bielecki z Krzysztofem Kilianem, kolejnym kolegą z tego gdańskiego środowiska liberałów. Oni stanowili dla premiera zupełnie oddzielną, alternatywną, a potem faktycznie jedyną płaszczyznę dyskusji i podejmowania decyzji. Nie dwór.

Czemu Tusk tak bardzo ufa Bieleckiemu, bardziej niż Schetynie, z którym tworzył Platformę i dzielił los?

Mnie trudno to zrozumieć. W 2005 roku, kiedy jeszcze nie zdawałem sobie sprawy z tej realnej hierarchii, uczestniczyłem w obiedzie zorganizowanym w Sopocie z okazji rocznicy Porozumień Sierpniowych. Obiedzie, który miał miejsce na samej plaży. Tusk przyszedł z żoną. Był też właśnie Bielecki. Nie potrafiłem jeszcze czytać tego obowiązującego przy Donaldzie języka, kodu. Już później ktoś z obecnych tam uświadomił mi, że powinienem się cieszyć, że zostałem zaproszony. Bo w takim składzie dochodzi jakby do przedstawienia najważniejszych ludzi w rodzinie. Do towarzystwa z Bieleckim Tusk zapraszał tylko tych, których traktował poważnie, z którymi wiązał jakieś poważne nadzieje. Szefowie regionów w partii nie dostępowali takiego „zaszczytu". Ta jego rola zmieniała się jednak z czasem. Zawsze był ważny, zawsze był bardzo wysoko w hierarchii Donalda, ale w pewnym momencie jego rola z doradzania przeszła we współrządzenie. Tym momentem był oczywiście wybuch afery hazardowej, po której – jak wiemy – wokół szefa rządu pojawiła się pustka. Bielecki zresztą autentycznie nienawidzi Schetyny. Po trosze z wzajemnością. Do dziś walczą między sobą o wpływy, jeden i drugi ma ambicje obsadzać swoimi ludźmi wszystko. Byłem świadkiem chyba tylko dwóch sytuacji, w których te dwie grupy – dwór i Bielecki – spotkały się razem. I nie sądzę, by takich okazji było o wiele więcej.

I jak te spotkania wyglądały?

W skrócie – wojna. Wyczuwało się z daleka potworne napięcie na linii Schetyna –Bielecki. Kłócili się o wszystko, docinali sobie. To były takie głupawe, durne docinki na poziomie piaskownicy. „A ty to się na tym znasz, jasne. To, jak się znasz, już poznaliśmy, gdy byłeś premierem. Wystarczyło porozmawiać z ludźmi. Pamiętasz? A ty w ogóle jeszcze coś pamiętasz?" – atakował na przykład Bieleckiego Schetyna. Tusk chyba miał niezły ubaw. Śmiał się, a na koniec próbował ich jednać: „Dajcie spokój, chłopaki, pogadajmy".

A pan osobiście wolał Bieleckiego czy Schetynę?

Oj, z tej dwójki to zdecydowanie jednak wolę Schetynę. Bielecki jest potwornie gburowaty. I ma kompletnego bzika na punkcie swojej znajomości języka angielskiego, nawiasem mówiąc, faktycznie znajomości średniej jakości. Przekonany jest jednak, że równa się niemalże z Szekspirem. To, iż zna angielski, tak ostentacyjnie podkreślał na każdym kroku, że pachnie mi tu jakimś kompleksem.

W jaki sposób afiszował się ze znajomością angielskiego?

Na zasadzie wstawek. „Jak to mówią nasi koledzy, »you can«" – na przykład wtrącał nagle. Przedrzeźniał innych, głównie Schetynę. „Jak to mówi Grzegorz, guuuuuuud mooooooorning" – kpił sobie podczas wspomnianego obiadu w Sopocie. To było naprawdę śmieszne. Ilekroć go spotykałem, tylekroć musiał wspomnieć choć raz na temat swojego angielskiego. Kiedy w 2008 roku przypadkowo spotkaliśmy się na wykładzie w Tarnowie, też musiał coś zagaić na ten temat.

A Tuska to nie denerwuje?
Nie ma kompleksu swojego angielskiego?

Miał, ale mu przeszło, kiedy zorientował się, że na przykład Silvio Berlusconi też słabo sobie daje radę po angielsku. Dostrzeżenie, że są i inni przywódcy, którzy posługują się łamaną angielszczyzną, w ogóle Donalda bardzo oswoiło i rozluźniło. Początkowo na tym polu był bardzo zablokowany, bał się cokolwiek powiedzieć w tym języku.

A wracając do Bieleckiego, to Tusk z jednej strony obchodził się z nim jak z takim świętym starcem, rabinem Platformy, który wszystko wie, wszystko rozumie. A jednak z drugiej strony miało się poczucie, że mimo takiego niewątpliwego wywyższania go, gdyby zdarzyło się coś takiego jak afera hazardowa, nie zawahałby się i jego wyrzucić. Premier wykonywał wobec niego takie gesty uznania, jakich nie czynił wobec innych, ale też dawał znać, że jest świadomy, iż on ma także swoje wady, dziwactwa. Jego jednak nigdy nie upokarzał w towarzystwie. Bielecki był więc rabinem w synagodze Platformy, ale takim jednak w każdej chwili do usunięcia.

HANNA GRONKIEWICZ-WALTZ

Jaką pozycję ma faktycznie wiceszefowa PO?
Mało jestem w stanie o niej powiedzieć. Byłem zaledwie na kilku spotkaniach z jej udziałem. Zawsze odnosiła się do mnie protekcjonalnie. Absolutnie kobieta Tuska. Prowadziłem swego czasu ostry spór o jej osobę, ponieważ byłem przekonany, że nie nadaje się na prezydenta Warszawy. I może dlatego mnie wyraźnie nie lubi.

Dlaczego miałaby się nie nadawać?
Bo jest typem biurokraty, urzędnika. Nie ma w niej nic z lidera, jakiego stolica potrzebuje. Nie znała i nie czuła tego miasta. Aby być prezydentem Warszawy, trzeba mieć wizję. A tej Gronkiewicz-Waltz brakuje. Ona nawet nie potrafi sformułować swojej ambicji w tym zakresie. To jest zupełnie poza jej możliwościami. Ale Tusk zawsze jej bronił. I twardo obstawał przy jej kandydaturze.

Czemu?
To było niezrozumiałe dla wszystkich, także dla Schetyny. Tym bardziej że każdy miał poczucie, iż ona jest do tego po prostu obciachowa. „Bufetowa" – to była trafiona ksywka. Ma coś takiego niekontrolowanego w tym swoim uśmiechu. Gdyby nie determinacja Donalda, nie zostałaby

kandydatem na prezydenta Warszawy. Nie znam nikogo poza nim, kto byłby przekonany o słuszności tego wyboru. Dochodziły do mnie słuchy, że swego czasu była jakaś sytuacja, w której ona udzieliła wielkiego wsparcia Tuskowi na gruncie osobistym. O co chodziło konkretnie, nie dowiedziałem się. Była jakaś tajemnica z jej udziałem. Dwór o tym szeptał.

EWA KOPACZ

To chyba kobieta, która potrafi pokazać pazur?
Tak, stanowcza, charakterna, czasem histeryczna kobieta. Czuła, że może sobie pozwolić na więcej w stosunku do Tuska, i z tego korzystała. Nieraz byłem świadkiem, jak wpadała w furię. I jeśli widziałem Donalda naprawdę wyprowadzonego z równowagi, to właśnie przez nią. Ale wszystko uchodziło jej na sucho. Bo też Ewa Kopacz jest strasznie lojalna wobec premiera.

Z jakiego powodu popadała w te histerie?
Stawiała na ostrzu noża sprawy związane z Ministerstwem Zdrowia lub partią. Scena, której ja byłem świadkiem, dotyczyła prezesa Narodowego Funduszu Zdrowia. W pewnym momencie media coraz wyraźniej oczekiwały jego dymisji i do takiej decyzji skłaniał się sam Tusk. Ale Kopacz go bezwzględnie broniła. „Tak?! W takim razie ja też odchodzę. To mnie możesz już też odwoływać!" – wrzeszczała i wychodziła, trzaskając drzwiami.

Jak Tusk reagował na takie sceny?

Nieraz wściekał się na dobre i groził: „Dobrze, to będziesz odwołana. Grzesiek, szukaj następnego ministra. Dosyć tego!" – odgrażał się. Ale to trwało z godzinę. A następnego dnia spotykał się z nią na kawie i było po sprawie. Żadna kobieta w Platformie nie ma tak mocnej pozycji jak ona. Z tego względu pojawiły się nawet plotki o romansie Donalda z Ewą. Ale nic na to nie wskazuje. Ona swego czasu bardzo go wsparła w czasie choroby jego siostry i matki. To obcowanie w sytuacji na granicy umierania niesamowicie łączy ludzi. Od tego czasu Kopacz ma taryfę ulgową. I wszyscy to milcząco przyjmują.

Ale chyba taką postawą nie zaskarbia sobie względów koleżanek i kolegów?

Ja akurat ją lubię za ten charakterek. To odważna mimo wszystko kobieta. A siłę charakteru ostatecznie pokazała, jadąc do Smoleńska i pracując osobiście przy identyfikacji ofiar. Ona sama zresztą bardzo lubiła moją żonę Monikę, odwiedzała nas nieraz w Lublinie. W partii nie znosi Schetyny, z wzajemnością. Nie mogła mu wybaczyć, że wraz z Andrzejem Halickim pozbawili ją funkcji szefowej mazowieckiej PO. Nie lubiła też wyraźnie, jak już mówiłem, Joanny Muchy, traktując ją jako zagrożenie dla siebie. Robiła jej czarny PR.

IWONA ŚLEDZIŃSKA-KATARASIŃSKA

Tyle lat w polityce, w Platformie, ale jest jakoś niedoceniana wewnętrznie. Dlaczego?

Bo faktycznie od dawna kwalifikuje się do wyrzucenia. Zawsze wszystko myliła, niczego nie rozumiała. Potrafiła nagle podnieść kwestię, która była przedmiotem sporu dwa lata wcześniej i nie ma nic wspólnego z omawianym tematem. Odznacza się dramatycznym sposobem myślenia. Wszyscy się z niej trochę podśmiewali. Ale pozostawała w PO, bo – według zasady Donalda – była naszym starym słoniem.

Cóż to za kategoria?!
Osoba, która zawsze była w stadzie. Nie można więc jej „zabijać", trzeba poczekać, aż sama „umrze". I może na tym skończmy temat Śledzińskiej-Katarasińskiej.

Ale chyba jednak niektórzy doceniali jej wpływy albo siłę, bo anonimowo donosili na nią w Internecie? O co chodziło?
Nie ma o czym mówić. PiS ma Elżbietę Kruk, my mamy Śledzińską-Katarasińską.

JACEK ROSTOWSKI

Dobrze się zadomowił w Platformie?
Jak najbardziej. Nawet był u mnie na Suwalszczyźnie w 2009 roku. Spędzał weekend u Barbary Kudryckiej i sam zadzwonił z pytaniem, czy może wpaść. To było bardzo miłe spotkanie. W ogóle miałem z nim dość dobry kontakt. Radził się mnie czasem w sprawach PR-u. Na jego zaproszenie uczestniczyłem też kilka razy w naradach kierownictwa Ministerstwa Finansów. Omawialiśmy, jak

budować pozycję ministra finansów w oczach ludzi. Rostowski, mimo że jest twardym konserwatystą, cenił moje PR-owskie zdolności. Zresztą mnie też często podpowiadał, co mówić o konkretnej sprawie. W punktach wymieniał kwestie, które należy publicznie podkreślać. Taki słusznie zaangażowany. A mnie też bardzo odpowiadał ten jego angielski sposób bycia, humor.

Na czym on konkretnie polega?
Choćby na sposobie ubierania się. Stosuje charakterystyczne dla Anglików połączenie kolorów: niebieskiego i zielonego. Pije whisky albo dżin z tonikiem. Jest typem prawdziwego Europejczyka, w dobrym tego słowa znaczeniu. Wie, co jeść i jak jeść. Naprawdę człowiek dużego formatu. A w klubie zaskoczeniem dla wszystkich był jego talent retoryczny. Początkowo zaplecze podchodziło do niego z rezerwą. Jednak już po jednym wystąpieniu w Sejmie, gdzie świetnie zaatakował Jarosława Kaczyńskiego, zdobył dużą akceptację w klubie.

Ma ambicje polityczne, partyjne aspiracje?
To jest chyba najbardziej polityczny minister finansów jak dotychczas w Polsce. Wszyscy się w pewnym momencie zorientowali, że chce grać w partii o wyższą funkcję, z czasem może premiera. Zabiegał, by znaleźć się w zarządzie. Ale jest też dość pryncypialny. To nie jest człowiek, z którym można załatwiać własne czy lokalne interesy. I za to mam do niego szacunek.

Tusk realnie go ceni, szanuje?

Tak, on ma przy nim mocną pozycję i Do-
nald bardzo go lubi. Jacek to jeden z jego ulubionych
ministrów. Zawsze kiedy chce, ma do niego wstęp.
Bardzo żywy człowiek, błyskotliwy i jakby ciągle zajęty myśleniem.

RADOSŁAW SIKORSKI

**Mało kto jak pan tak nabruździł ministrowi
spraw zagranicznych. Zwalczał go pan mocno
w prawyborach i zaatakował jego żonę.
Rozmawiał jeszcze z panem po tym?**
O, zdążył nawet wybaczyć. Moje kontak-
ty z Sikorskim to cała epopeja, złożona ze wzlotów
i upadków. Nasze relacje oscylowały – od bardzo
przyjacielskich, wręcz rodzinnych, do wrogich, wo-
jowniczych. To bardzo dziwna postać. Byłem u niego
w domu pod Bydgoszczą, a on był u mnie na Suwalszczyźnie. Moja żona Monika jest pod wrażeniem jego
takiego autentycznego patriotyzmu. Ja sam w większości spraw się z nim nie zgadzam. Jest przecież
choćby zwolennikiem kary śmierci! Ale to, co jest
fantastyczne u Sikorskiego, to fakt, że on naprawdę
ma poglądy. Żyje autentycznie jakimiś przekonaniami. O ile na przykład z Niesiołowskim w rozmowie
nie dało się wyjść poza pewien poziom, poza czystą
retorykę, frazesy, o tyle debaty z Radkiem są wspa-
niałe. I do tego ma bardzo odpowiadające mi absurdalne poczucie humoru, rodem z Monty Pythona.

Ale poznaliście się już w Platformie?
Tak. Już w 2005 roku przyjechał do naszego regionu, do Zamościa. W czasie kampanii byli-

śmy też razem z Tuskiem w Londynie. I cały czas w zasadzie utrzymywałem do niego cień sympatii. Nawet wtedy, kiedy go atakowałem w prawyborach w 2010 roku. Ze wzajemnością chyba zresztą. Już po tym, jak próbowałem zdyskredytować jego żonę Annę Applebaum, przysłał mi SMS-a: „Ja ci to wybaczam, ale moja żona nigdy ci tego nie wybaczy". Ale potem byłem w trakcie jakiegoś występu w mediach i zostałem zapytany, czy żałuję czegoś z prawyborów. Przyznałem, że słów o Annie. I wówczas Radek do mnie zadzwonił, by powiedzieć, że ona oglądała ten program, będąc w Londynie, i kazała przekazać, że też mi już wybaczyła.

Dlaczego pan to zrobił?

To była ostra walka o Komorowskiego. Wszystkimi środkami.

Dlaczego pan tak bardzo nie chciał Sikorskiego w roli kandydata na prezydenta, skoro sam o nim dobrze mówi?

Przy tych wszystkich wspaniałych cechach, jakie ma, wykształceniu, inteligencji, działaniu zgodnie ze swoimi przekonaniami, które go absolutnie wyróżniały w całej klasie politycznej, jednocześnie jest coś patologicznego w jego osobowości. Jest jakby zawsze na granicy równowagi psychicznej. Miewa takie dziwne humory, tendencje do zapadania się w sobie. To widać nawet w mimice. To wszystko sprawia, że tak naprawdę, gdy się na niego patrzy, nie ma się pewności, kto jest naprzeciwko. Ma w sobie jakąś tajemnicę, coś nieprzeniknionego. I to nie jest tylko moja opinia. Tak samo myślał choćby Donald. Również się obawiał, że Radek może kompletnie odjechać.

Odjechać? W jakim sensie?
To nieuchwytne do końca. Ale na przykład tajemnicą poliszynela są czasem jego skandaliczne zachowania wobec kobiet. Takie próby wulgarnego odnoszenia się do nich. Nigdy nie byłem świadkiem tych zachowań, ale opowiadały mi o nich dziennikarki. I to są opowieści z różnych okresów. Czasami, muszę powiedzieć, że wręcz ma się wrażenie, że on jest uzależniony od narkotyków, że jest zwyczajnie naćpany, w ciągu kilku minut staje się jakby innym człowiekiem. Zaznaczam, iż nie insynuuję, że rzeczywiście bierze narkotyki. Mówię tylko i wyłącznie o wrażeniu. Ten człowiek jest jakiś dziki.

O co gra w polityce?
Gdzie sięgają jego ambicje?
Sikorski nigdy nie był za blisko dworu, choć bardzo mu na nim zależało. I konsekwentnie próbuje zbliżyć się do Tuska. Jest bardzo ambitny. Jak profesjonalny, zawodowy polityk bardzo precyzyjnie planuje swoją karierę. Według zasady płodozmianu. Podejrzewam, że w następnej kadencji najchętniej schowałby się w Senacie albo wrócił na trochę do USA, by uśpić nieco swoją działalność i przygotować się do skoku na fotel, o którym realnie myśli – fotel prezydenta. Ma świadomość, że teraz nie ma w puli nic, co by go naprawdę interesowało, a kolejne cztery lata jako minister spraw zagranicznych mogłoby być zabójcze z punktu

widzenia przyszłości i jego marzeń. Muszę zresztą przyznać, że dziś patrzę na niego trochę inaczej niż w prawyborach. Sądzę, że paradoksalnie z tymi swoimi konserwatywnymi poglądami mógłby, razem ze swoją dobrze ustawioną Anną, naprawdę unowocześnić Polskę. Mógłby stworzyć na przykład taki warszawski salon na wzór salonu, jaki stworzył Václav Havel. No ale go zwalczyliśmy.

Byłby lepszym prezydentem niż Komorowski, z perspektywy czasu patrząc?
W sensie pozycji Polski na świecie już widać, że tak. Dla kraju mógłby być dobrodziejstwem wizerunkowym. To jest wartość, jakiej wcześniej nie doceniałem. Wewnątrz kraju jednak lepszy jest Komorowski.

TOMASZ TOMCZYKIEWICZ

**Szerzej zupełnie nieznany, lokalny polityk staje na czele klubu partii rządzącej.
Jego wybór musiał być chyba zaskoczeniem dla was samych?**
Chlebowski w roli szefa klubu to już była żenada, ale Tomczykiewicz to wręcz kompletny obciach. Nie wiem, czy Kazimierz Kutz nie wystąpił z klubu PO nie tyle w geście solidarności z Palikotem, co w proteście i niezgodzie na Tomczykiewicza. Wszyscy w klubie czuli się głupio z tym, że został ich szefem. A Kutz czy Jerzy Fedorowicz byli wprost załamani. Kutz tuż po ogłoszeniu wyboru na klubie spojrzał na mnie i spytał: „To co? Kiedy spierdalamy?".

Skąd taka brutalna ocena?

To portier, który został szefem klubu. Z całym szacunkiem dla portierów. To naprawdę figura bardziej stróża nocnego niż partyjnego działacza. To, że kieruje klubem, jest dla niemałej części jego członków wręcz obraźliwe. Kompletnie bez osobowości, bez żadnej sprawności językowej, wykształcenia, wiedzy, bez jakiegokolwiek myślenia. Cień cienia. Nie można mieć do sobie szacunku, akceptując w pełni, że taka miernota jest szefem klubu. Na tle Tomczykiewicza Zbyszek Chlebowski był, jaki był, ale miał jakąś merytoryczną wiedzę, zainteresowania. A ten to totalny regres.

Dlaczego zatem został szefem klubu?

Bo właśnie trwała śmiertelna walka Tuska ze Schetyną o to przywództwo klubu. To nie była łatwa rozgrywka dla Donalda, ponieważ Grzegorz zdążył już od czasu zesłania go do Sejmu opanować dużą część klubu. Tymczasem premier miał swoich ludzi w rządzie. W pewnym momencie w desperacji rozważał nawet cofnięcie do Sejmu Kopacz. Ale w końcu stanęło na Tomczykiewiczu, bo to absolutny lodziarz Tuska. Miał niby poprawne stosunki ze Schetyną, ale jednak na wszystkich posiedzeniach zarządu prezentował całkowicie pro-Tuskowe stanowisko.

Ale próbował pan choć osobiście porozmawiać z Tomczykiewiczem, zanim się pan tak do niego zraził?

Ale z nim nie ma w ogóle o czym rozmawiać! Nie ma naprawdę o kim rozmawiać.

TOMASZ ARABSKI

Jako jedyny z dworu uchował się przy aferze hazardowej. Kim jest faktycznie dla premiera?

Opus Dei [prałatura personalna w Kościele katolickim, w przeważającej większości składająca się z osób świeckich – przyp. red.] – to moje pierwsze z nim skojarzenie. Człowiek od kontaktów z Kościołem. Zblatowany z hierarchami kościelnymi, organizował premierowi spotkania z biskupami, głównie ze Stanisławem Dziwiszem i Tadeuszem Gocłowskim. To rzeczywiście emocjonalnie bardzo bliska Tuskowi osoba. Pochodzi z Trójmiasta i obok takich ludzi jak Wojciech Duda należy do tej gdańskiej grupy, z którą Donald w weekendy często spędza popołudnia, na grze w piłkę, ale i na rozmowach. To oni ładują premiera intelektualnie, kształtując, podrzucając choćby książki do czytania. To był taki kontrapunkt dla dworu w Warszawie. Sam Arabski to dodatkowo śmiertelny wróg Schetyny, często przez niego poniżany. Nie do końca zresztą był na dworze. Nie przesiadywał raczej na tych posiadówkach w kancelarii, jest raczej takim człowiekiem operacyjnym – jak trzeba było, to przychodził, ale generalnie zawsze miał coś do zrobienia, więc szybko opuszczał spotkanie.

Rzeczywiście całkowicie wierny żołnierz Tuska?

Całkowicie. Bardziej niż Nowak. W przypadku Arabskiego to jest fascynacja i lojalność. Donald wiedział, że on nie zrobi nic kosztem niego czy partii, inaczej niż Nowak nie gra, żeby się umocnić. Ale dzięki temu Arabski był dość wpływowy. Miał też większy wpływ na Donalda niż Nowak. Często razem wracają do domu, do Trójmiasta.

Sprawny urzędnik? W Platformie przedstawiany jest czasem jako nieudacznik.

To czarny PR Schetyny. Z Grzegorzem często się zresztą ścierał. „O, przyszedł ten, który trzęsie całym rządem. To kogo dziś wykończyłeś?" – naigrawał się Schetyna, kiedy wchodził Arabski. A ten odpowiadał mu na przykład tak: „Wiesz, na razie próbuję samego siebie, ale jak widzisz, Donald gra, żebym źle nie skończył". Bywało jednak też, że przechodził do ataku, trafiając mocno w słabe punkty Schetyny, choćby w urodę. „Wiesz, nie każdy ma taką posturę, że zabija samym wyglądem" – to były tego typu żarty. Ale generalnie podczas spotkań Arabski mało się odzywał. Jest jednak obdarzony sporą inteligencją. I ma fajne, przewrotne poczucie humoru.

Miał pan z nim jakieś bliższe relacje?

Nie mieliśmy większego kontaktu. A kiedy już się widzieliśmy, zawsze żałował, że nie spotkaliśmy się na etapie, kiedy byłem wydawcą pisma „Ozon". „Gdybyś mnie powołał na redaktora naczelnego, to coś by z tego wyszło" – mawiał. Bardzo dobrze się zna na winach hiszpańskich. Wyszukiwał czasem butelki, takie perełki, i przynosił Donaldowi, zawsze coś ciekawego o nich opowiadając.

BOGDAN ZDROJEWSKI

Na zewnątrz raczej nie wzbudza żadnych kontrowersji. Z bliska też?

Człowiek ryba. Tak go określał Donald Tusk. A więc człowiek dużo mówiący, ale bez treści. Rusza ustami, ale nie wychodzi z nich żaden sens. W jednej wypowiedzi potrafi sam sobie zaprzeczyć. Jak ognia zawsze unika wyrażenia jednoznacznego stanowiska. Nigdy nie wiadomo, co tak naprawdę chce powiedzieć, co myśli. Jest sprawnym ministrem kultury, ale bez wizji. W głębszym sensie nie rozumie zjawisk kultury.

A nie jest tak, że nie przepadaliście za nim, bo stać go było na gesty pojednawcze wobec PiS-u? Bo stara się nie wpisywać w główny propagandowy nurt partii?

Nie sądzę, by do końca był tak postrzegany w partii. Ja zawsze mogłem liczyć raczej na życzliwość z jego strony, więc nie kierują mną żadne personalne urazy do niego. Mój problem z nim polega na tym, że to owszem, sprawny, technokratyczny inżynier w kulturze, ale gdyby miał szersze spojrzenie i rozumienie, mógłby zreformować kilka instytucji. Powinien mieć więcej odwagi, by te trupiarnie, takie jak Muzeum Narodowe, przywrócić trochę do życia. Jestem absolutnie za finansowaniem kultury, ale to nie może się stawać alibi dla nic nierobienia. Dla tak małej liczby wystaw jak w Muzeum Narodowym 90 procent kosztów tej instytucji stanowią koszty personalne!

To trzeba było samemu zająć się kulturą, skoro pan ma wizję...

Była na ten temat rozmowa z Tuskiem. Jakoś po wypadku wojskowego samolotu CASA zrobił się większy szum wokół Klicha i przez chwilę premier rozważał odwołanie go i przesunięcie na jego miejsce Zdrojewskiego. Postawiłem wtedy kilka twardych warunków, m.in. dotyczących licencji dla Radia Maryja. Tusk stwierdził, że na taki radykalizm się nie godzi. Pudrowanie zaś w moim przypadku nie wchodzi w grę. Ostatecznie nic z tej roszady nie wyszło.

To powiedzmy, dlaczego w ogóle Zdrojewski, przez wiele lat w opozycji, w komisji obrony, nie został jednak ministrem obrony?

Bo był zbyt popularnym posłem we Wrocławiu, zagrażał Schetynie, który obawiał się, że na fotelu ministra obrony Zdrojewski może za bardzo urosnąć. Poza tym został wbrew Tuskowi, który miał innego kandydata – Zbigniewa Chlebowskiego – szefem klubu. Zesłano go więc nie tam, gdzie się naprawdę nadawał, czyli do MON-u, tylko właśnie do Ministerstwa Kultury. Jako ministrowi kultury być może obok wizji brakuje mu wsparcia politycznego.

Zawsze jest taki poważny, dystyngowany?

Ja bym powiedział, że straszliwie nudny. Po godzinie rozmowy z nim człowiek czuje się tak zmęczony jak po sześciu godzinach przesłuchania w prokuraturze. Usilnie chce sprawiać wrażenie, że wszystko wie. I jest w PO taka opinia, że Zdrojewski zawsze się zgadza z tym, który akurat od niego wyszedł. Udaje, że się zna na winach, choć się nie zna kompletnie. Kiedyś piliśmy wino, które było korkowe, a więc zepsute przez rozszczelnienie korka i nadmierne utlenienie, zatem smak był już specyficzny, ale on ten smak zachwalał pod niebiosa, nie będąc zupełnie świadomym, że trunek ma wadę. Jest rzeczywiście taki zdyscyplinowany, zapobiegliwy, sprawny, chodzący, doglądający wszystkiego. Na dworze za sprawą Grzegorza miał opinię tego, który nic faktycznie nie robi, a jedynie picuje. Ale z drugiej strony pamiętam, jak Schetynie kiedyś opadła szczęka, gdy Tusk nagle na jakimś spotkaniu stwierdził: „W zasadzie najlepszym ministrem w moim rządzie jest Zdrojewski. Czy ja mam z nim jakieś problemy? Gasi wszystkie pożary sam, rozwiązuje spory, coś tam robi, popycha sprawy do przodu, nie wywołuje mi żadnych konfliktów. W zasadzie minister idealny". Grzegorz wpatrywał się w blat stołu i milczał. Chyba właśnie ta bezkonfliktowość i sprawność sprawiły, że Zdrojewski nie został ostatecznie skasowany przez Tuska, jak ten miał to w planie po tej akcji z wyborami szefa klubu. Dla Donalda bowiem główne kryterium w ocenie i doborze ministrów to: „Sprowadza mi na głowę jakieś kłopoty czy nie".

W partii Zdrojewski identyfikuje się z jakąś frakcją?

Zawsze trzymał się mocno z Grabarczykiem, ale Cezary, po tym, jak wygrał dla niego szefostwo klubu, rozczarował się. Bo i rzeczywiście Zdrojewski średnio sprawdził się jako szef klubu.

Dziś nadal jest w „spółdzielni" Grabarczyka?

Tak. Udaje solistę, ale gra z Grabarczykiem. Bardzo liczył na to, że zostanie marszałkiem Sejmu, po tym, jak Komorowski został prezydentem. W tej sprawie konsultował się z wieloma osobami, badając swoje szanse. W prawyborach w tym celu właśnie grał na Komorowskiego. Sądził, że Donald ostatecznie skasuje Schetynę i fotel marszałka będzie wolny.

Ale to był jakkolwiek realnie rozważany scenariusz?

Tak, Tusk brał taki scenariusz pod uwagę. W pewnym momencie jednak doszedł do wniosku, że taki ruch mógłby jednak wywołać zbyt duże perturbacje w Platformie i w konsekwencji ją rozwalić. Więc tylko zwodował Grzegorza. I teraz plan jest taki: po wyborach Schetyna zostanie tylko i wyłącznie posłem i nastąpi naturalna marginalizacja jego wpływów.

KATARZYNA HALL

O minister edukacji było raczej cicho przez całą kadencję, mimo że posłanie sześciolatków do szkół wywołało burzę. Niewiele też o niej samej wiadomo.

Bo niewielu w Platformie ją zna. Jej nominacja, podobnie jak minister Barbary Kudryckiej, była w partii dużym zaskoczeniem. Najgorszy minister w tym rządzie. Ze względu na niż demograficzny mamy dziś niepowtarzalną szansę, by w końcu stworzyć szkoły z małymi dziesięcio- czy dwunastoosobowymi klasami. Ale ona podejmuje najbardziej idiotyczne z możliwych w tej sytuacji decyzji – o zamykaniu szkół. Minister, która nie potrafi nawet zawalczyć o takie zmiany, a co mówić o ich przeprowadzeniu. Powinna natychmiast podać się do dymisji.

A zna ją pan osobiście? Jaka jest w bezpośrednim kontakcie?
To bardzo dziwna osoba. Niby jak się z nią rozmawia, sprawia wrażenie inteligentnej, mądrej, wszystko rozumiejącej. Ale ma w sobie jakąś taką przemądrzałość. Ma się wrażenie, że mimo tego pierwszego wrażenia ona rozmówcy nie słucha i po zakończeniu dialogu wraca jak gdyby nigdy nic do tego, co sobie przemyślała i postanowiła wcześniej. To jednak kobieta ideowa, z pewnością nie typ polityka. Osobiście kojarzy mi się z takim monstrum, postaciami z Witkacego czy takim rodzajem roślinożernego dinozaura w ludzkiej postaci.

JULIA PITERA

Minister praktycznie bez narzędzi i podobno bez kontaktu z premierem. Po co ją w takim razie Tusk powołał?
To kompletnie dekoracyjna postać. Ma być dokładnie taka, jaka jest. Ma dobrze udawać, że walczy z korupcją, i tyle. Czasem tylko dostaje jakieś instrukcje przez Schetynę, ale generalnie ma po prostu być i sprawiać dobre wrażenie. I to PR-owskie zadanie wypełnia dobrze. Choć faktycznie na polu walki z korupcją niczego nie dokonała.

No przepraszam, chwaliliście się jej raportami dotyczącymi nadużyć

z czasów poprzedników, w których
odkryła przede wszystkim zakup dorsza
za ponad 2 zł...

I dzięki temu właśnie ludzie są przekonani, że rząd Tuska zajmuje się korupcją. Ale ja mówię o realnych dokonaniach. A te są na tym polu żadne.

Często jednak reprezentuje
Platformę w mediach. To też świadoma
decyzja Tuska?

Kiedyś bardzo piękna kobieta – to jedyne, co słyszałem na jej temat od samego Tuska. Sam w Sejmie siedziałem obok niej i Staszka Żelichowskiego. Z czasem robiliśmy sobie z nim takie żarty, ogłaszając: „Kto zdecyduje się siąść obok Pitery, stawiamy mu obiady do końca kadencji". Jej się bowiem buzia autentycznie nie zamyka. Ma słowotok, potrafi non stop przez trzy godziny mówić! Zagadywała mnie o wszystko. „Zobacz, Janusz, jaką ona ma torebkę" – wskazywała na przykład na jakąś posłankę. „Boże, jak można było dobrać te pończochy do tej spódnicy" – to znów trajkotała na widok innej. Czasem nie wytrzymywałem i wymykałem się z sali, po czym Żelichowski do mnie dzwonił: „Bardzo cię proszę, nigdy więcej nie rób mi takiego świństwa, bo cię nie przyjmiemy do PSL-u!".

Merytorycznie też jest taka dobra?

Mądra może bardzo nie jest, ale ma takie obycie, otrzaskanie wynikające z pochodzenia. Choć ma ono charakter tylko rezonansowy. Brakuje jej własnego, myślącego, samodzielnie przerabiającego świat „ja".

Ale to antykorupcyjne nastawienie, walka z tego typu patologiami, przynajmniej na poziomie intencji wydaje się autentyczna.

I pewnie jest. Ale autentyczna przede wszystkim to jest u niej nienawiść do Kaczyńskiego. Zupełnie tak samo mocna jak u Niesiołowskiego. Dla niej wszystko, co Kaczyński zrobi, jest złe. Nienawidzi go nie tylko na użytek propagandy, na wiecu czy przed kamerą, ale i za kulisami. Kiedyś chciałem już jakoś uciąć kolejne pogaduchy o damskich pończochach i torebkach i na chwilę odwrócić jej uwagę. „Julia, zobacz, ten Kaczyński wcale nie musi wyglądać strasznie. Popatrz na niego, jak teraz siedzi obok tej Kempy. To byłaby nawet ładna, fajna fotografia, prawda?" – zagadałem. Pitera się wzdrygnęła z obrzydzeniem i zaśmiała: „Ta, niezły kabaret".

SŁAWOMIR NITRAS

W pewnym momencie okrzyknięty został wręcz delfinem Platformy. Zasłużenie? Poznał go pan bliżej?

Tak, pojechałem w 2009 roku do Szczecina, wesprzeć go w kampanii do Parlamentu Europejskiego, bo żaden z liderów nie chciał. On sam był zaś już mocno skonfliktowany z regionalną Platformą, szczególnie z tą częścią koszalińską, kierowaną przez Stanisława Gawłowskiego. Rywalizował także z Sebastianem Karpiniukiem. Generalnie Nitras jest człowiekiem ideowym, te jego związki z Rokitą, w pierwszym okresie, nie wynikały z takiego czy innego pozycjonowania się w partii, tylko z autentycznych konserwatywnych przekonań. Pryncypialność – to jego charakterystyczna cecha. Ale jest też drugie oblicze Nitrasa, mniej ciekawe. To typ lokalnego bonza. W swoich metodach przypomina młodocianego gangstera, wszystko w mieście kontroluje, ustawia, wszystkiego pilnuje, wszystkich brutalnie dyscyplinuje. Stworzył w Szczecinie, gdzie był szefem PO, taką paramafijną strukturę.

Ale dlaczego faktycznie wypadł z gry? Zasiadał obok Tuska w ścisłych władzach Platformy. Dziś wydaje się tracić wszystkie wpływy.

Do zarządu wszedł dlatego, że był krytykiem Tuska jako stronnik Rokity. A Donald uważał wtedy, że takich młodych aktywnych należy pacyfikować, właśnie przyciągając ich do siebie. I faktycznie spacyfikował, w tym sensie, że Nitras przestał go krytykować. Za wroga upatrzył sobie natomiast Schetynę, zrzucając na niego wszystko, co złe w Platformie. I zaczął być wypychany przez Grzegorza, przez jego człowieka Gawłowskiego, szefa PO na Pomorzu Zachodnim. Poza tym Rokita odpadł z PO, to i Nitras zaczął słabnąć. Jeszcze przy okazji pogrzebu Karpiniuka przekonywał mnie, że Donald obiecał mu, iż wystartuje w wyborach parlamentarnych. Nie chciał mnie słuchać, gdy mu tłumaczyłem, że skoro za przeciwnika ma Schetynę, to Donald o niego kopi kruszyć nie będzie. I żeby pożegnał się z myślą o szybkim powrocie do polityki krajowej.

WALDY DZIKOWSKI

**Długo zasiadał we władzach Platformy,
ale do dworu Tuska nigdy nie został
dopuszczony. Miał realne znaczenie w partii?**
To kompletny pajac. Biega po korytarzach
sejmowych od dziennikarza do dziennikarza, uda-
jąc dobrze poinformowanego, a realnie nigdy nie
wiedział, co się dzieje. Absolutny picer. Trochę mi
przypomina Zdrojewskiego. Tyle że prawie cały czas
na gazie. Czerwone oczy w Sejmie rano – to jego
znak rozpoznawczy. Czasem był z nim dobry kabaret. Szczególnie Schetyna uwielbiał się nad nim
znęcać. Regularnie ośmieszał go na spotkaniach.
Kiedy Dzikowski próbował zabrać głos, nie pozwalał
mu nawet skończyć zdania, od razu sprowadzając go
do parteru. „Tak, tak, Waldy, miałeś to przygotować
w poprzedniej kadencji. Przypominam ci, że ona już
minęła, już się tą sprawą nie zajmujemy" – gasił go
natychmiast.

A jednak wciąż pozostawał w zarządzie?
Bo był w stu procentach lojalny wobec Tuska, choć Donald faktycznie za nim nie przepadał.

ANDRZEJ OLECHOWSKI

**Śmieją się, że to taki polityk, który
popularność lubi, ale na nią pracować
nie za bardzo. Przed południem nie wstaje?**
To przesada, ale rzeczywiście przed dziesią-
tą nie umawia się na spotkania. Ta potoczna opinia
o Olechowskim bierze się stąd, że prowadzi on bar-

dzo zróżnicowane, spokojne życie w stylu amerykańskiego senatora: dobre, długie śniadanie, gazeta, obiady zaplanowane z kilkumiesięcznym wyprzedzeniem. Ale to błąd, że taki człowiek nie funkcjonuje dziś w polskiej polityce. Jest świetnie zorientowany w sprawach międzynarodowych. Bardzo cenię jego diagnozę, rozeznanie tak polityczne, jak i makroekonomiczne. Jest obdarzony naprawdę rzadkim talentem syntezy sytuacji z pozycji globalnych.

Dlaczego zatem wypadł z pierwszego nurtu polityki?

Prawdą jest, że to nie jest fighter. To typ fachowca, który powinien być ministrem spraw zagranicznych bądź ambasadorem na przykład w Waszyngtonie. Nie nadaje się na lidera politycznego. Ale świetnie reprezentowałby Polskę jako prezydent z poparciem PO. Pamiętam słowa Jana Nowaka Jeziorańskiego, którego spotkałem przy okazji konferencji organizowanej w ramach Polskiej Rady Biznesu. Pytałem go, jak widzi ze swojej perspektywy Polskę. I on mi wtedy powiedział, że to, co najbardziej dla niego niesamowite, to fakt, że, mimo iż nasz naród nie był oszczędzany i tyle razy próbowali nam wymordować elitę, po 1989 roku wszyscy trzej kolejni ministrowie spraw zagranicznych Polski, w tym właśnie Olechowski, to ludzie na takim poziomie, że z powodzeniem mogliby odpowiadać też za politykę zagraniczną USA. „Jak to się dzieje, że ten kraj, któremu ciągle się ścina głowę, ma tak absolutnie świetnych ludzi" – nie mógł się nadziwić. I to jest prawda – w polskiej polityce nie ma dziś człowieka takiego formatu jak Olechowski. Komorowski, tak jak i Tusk, nie dorasta mu do pięt, jeśli idzie o orientację w świecie, zdolność syntezy sytuacji międzynarodowej.

Ale to Tusk w polityce obciął mu głowę?

Właśnie, i to był jeden z większych skandali! My się w Platformie trochę minęliśmy. Głośna konwencja Platformy, na której manifestacyjnie założyłem koszulkę z napisami „Jestem gejem" i „Jestem z SLD", była też ostatnim występem publicznym Olechowskiego w ramach PO. Dopóki był w Platformie, spotykaliśmy się często. I do tej pory utrzymuję z nim kontakt, odwiedzamy się w domach. To jest mój kolega.

Dlaczego Tusk go wypchnął?

Po pierwsze, zadziałał mechanizm władzy – wszystkich liderów, potencjalnych konkurentów, należy kasować. Poza tym Donald był wtedy autentycznie zauroczony diagnozą polityczną Rokity. Podzielał te hasła typu „Nicea albo śmierć", z którymi z kolei Olechowski nie mógł się zgodzić. On jest człowiekiem wartości. W tym sensie jest staroświecki, niemodny.

Niektórzy mówią jednak, że też nieco gburowaty?

W relacjach ze mną nigdy taki nie był. Ale pamiętam rzeczywiście, że kiedyś przyszedłem do niego po godzinie osiemnastej w brązowym garniturze. Popatrzył na mnie z dezaprobatą i pokręcił głową, upominając: „After six never brown". Wcześniej pytałem, czy ubieramy się na luzie, i on potwierdził. I rzeczywiście sam był na luzie, ale takim, jak definiuje to protokół dyplomatyczny: marynarka klubowa ze złotymi guzikami, spodnie szare w kanty wyprasowane.

Pięknie. A jednak doświadczenie pokazuje, że jest jakby niewybieralny w powszechnych wyborach.

Rzeczywiście, bo jest za bardzo akademicki, brakuje mu elementu ludycznego. I może też stąd opinia bufonowatego. Wygląda dobrze, nosi się dobrze, mówi dobrze, ma dobre kompetencje, a mimo wszystko jest rzeczywiście niewybieralny.

Część II.
Poza Platformą

STANISŁAW ŻELICHOWSKI

Szef klubu PSL-u to chyba powszechnie lubiany człowiek w Sejmie?

Tak, ja też bardzo go lubię, to jego poczucie humoru, inteligencję i bon tony. Ale to przede wszystkim rabin PSL-u: kreatywny, spekulatywny umysł, o ogromnym doświadczeniu politycznym. Cechuje go taki miękki cynizm – wie, jak generalnie i nieuchronnie biegną sprawy w polskiej polityce, i w związku z tym ma świadomość, że nie ma co się naprężać, kiedy wydaje się, że właśnie trwa jakaś burza. „Co się tak denerwujesz? Nie ma co. Wpadnij do nas, do klubu, znajdziemy dobre naleweczki, kiełbaski zjemy" – mawiał do mnie. Takie właśnie jest jego podejście. Reprezentuje jednak też niestety ten cały PSL-owski partyjny zamach na państwo. W pilnowaniu partyjnych interesów, rozdawaniu stanowisk jest absolutnie świetny. Jest macherem tej kadencji, można powiedzieć. I to przy, wydawałoby się, słabej pozycji. Wiadomo, że Waldemar Pawlak celowo zepchnął go do klubu, choć z powodzeniem mógłby być w rządzie. Pawlak obawiał się właśnie, że z poziomu ministra będzie mu łatwiej budować własną frakcję. Żelichowski to bowiem naprawdę bardzo sprawny gracz.

Jest w opozycji do Pawlaka? Krytykuje go?

Gra z Markiem Sawickim, nie z Pawlakiem. Potrafi coś ironicznie powiedzieć o Pawlaku, czuje się, że jest krytyczny, ale też trzeba powiedzieć, że bardzo się pilnuje i nie pozwala sobie w rozmowach na mocniejsze docinki. Powtarzał mi: „Janusz, my nie mamy żadnych szans, my jesteśmy po prostu za mądrzy. Zobacz, tyle lat w polityce i co ja robię?".

W Sejmie słychać, że bardzo dobrze współpracuje ze Schetyną.

Tak, bardzo się lubią. Ale Żelichowski lubił też Chlebowskiego. Co więcej, często pił wódkę z Przemkiem Gosiewskim, kiedy ten kierował klubem PiS-u. Opowiadał mi kiedyś historię, jak poszedł na rozmowę do Jarosława Kaczyńskiego. „Wchodzę do jego sejmowego gabinetu, Jarosław siedzi, przed nim kieliszek z winem, a obok stoją Gosiewski, Kuchciński i ktoś trzeci. Kaczyński wskazał mi krzesło, nalano mi wina. I zaczynamy rozmawiać. Ale tamci cały czas karnie stoją. Byłem zdumiony, o co chodzi. Już później spotkałem się z Przemkiem i nie wytrzymałem, musiałem zapytać:»Przemek, co wy tam tak staliście? Jak on was traktuje? Mnie było głupio«. A Gosiewski mi na to: »Wiesz, my chociaż wiemy dokładanie, co nas czeka, a ty z tym Pawlakiem to nigdy nie wiesz. Ja już wolę te reguły i tę mentalność«". Z Gosiewskim Żelichowski pił regularnie, co dwa tygodnie. W ogóle sporo pił. Ale zawsze się pilnował, wiedział, gdzie jest granica i kiedy nie należy się już pokazywać publicznie. Jak czasem za dużo wypił, to go przesadzali z Eugeniuszem Kłopotkiem. On szedł gdzieś na tylne ławy, a tamten do pierwszych. Bo Kłopotek nie pił. Inna sprawa, że strach go sobie wyobrazić jeszcze po alkoholu.

EUGENIUSZ KŁOPOTEK

„Każdy ma swojego Palikota" – mówią pytani o tego posła ludowcy, na czele z Żelichowskim. Potrafi bez ogródek uderzyć w Platformę.
Staram się nie używać mocnych słów, nawet o przeciwnych obozach, ale to akurat naprawdę kompletny kretyn. To, że jest porównywany do mnie, jest dla mnie upokarzające. Kłopotek to człowiek niesprawny umysłowo: niczego nie rozumie, niczego nie kojarzy.

Może tylko za bardzo kocha kamery?
Tak?! To niech pani spróbuje porozmawiać z nim na poważnie z dziesięć minut. To, co mówi, jest kompletnie puste. Mowa trawa i slogany. Nie ma w tym żadnej myśli. Dla dziennikarzy to nie kariera Palikota, a właśnie Kłopotka powinna być alarmem. No ale, ma taki chłopski bezmyślny uśmiech, który ludzie kupują.

WALDEMAR PAWLAK

Niektórzy żartują, że zobaczyć wicepremiera tak szczerze, po ludzku uśmiechniętego, to rzadkość.
To jest rzeczywiście człowiek maska. Ale ma też poczucie humoru. Sam jednak nigdy nie reaguje spontanicznie. Zawsze patrzy na rozmówcę bez żadnego wyrazu twarzy. Ma za to taką chłopską cierpliwość i upierdliwość, że zawsze doprowadza sprawy, na których mu zależy, do końca.

Rzeczywiście jest tak, jak przekonywał Tusk, a za nim reszta Platformy, zawiązując koalicję z PSL-em, że Pawlak przeszedł jakąś realną przemianę jako polityk, w kierunku takim propaństwowym?

To był i jest przede wszystkim wielki biznesmen. Menedżer, prezes wielkiej korporacji, jaką jest jego partia. Wszystko, co robi, jest podporządkowane interesom PSL-u, jego działaczy. Kiedy powstawała komisja Przyjazne Państwo, zadzwonił do mnie i poprosił o spotkanie, byśmy sobie ułożyli relacje, jako że był ministrem gospodarki. To było około godzinne spotkanie kosmity i ziemianina. Zupełnie nie mogliśmy się porozumieć. Nic nie wspominał o ułatwieniach dla przedsiębiorców, do czego ta komisja miała się sprowadzać. On chciał przez nią po prostu wszystko rozgrywać politycznie. Dopytywał: co, gdzie planuje, jakimi regulacjami, jakie segmenty warto by objąć, ewidentnie z myślą o tym, by potem czerpać z tego jakieś korzyści. Być może również finansowe. I cieszył się tylko, że będzie miał mniej kłopotów z Adamem Szejnfeldem, który wtedy u niego był wiceministrem, jako że w końcu ów Szejnfeld będzie musiał się mniej krzątać, bo też będzie zajęty moją komisją. Ja i Pawlak jesteśmy ulepieni z kompletnie innej gliny. To taki szejk. Nastawiony przede wszystkim na budowanie nomenklatury partyjnej.

RYSZARD KALISZ

Miał być na serio w pana partii czy też ten jego występ na kongresie Palikota to był tylko teatr, przysługa dla pana?

Nie, naprawdę wszystko było już ustalone: on, Bartek Arłukowicz i ja, trzej liderzy. Co do tego, że idziemy razem z Kaliszem, dogadaliśmy się ostatecznie w sierpniu 2010 roku, kiedy spędził on u mnie na Suwalszczyźnie weekend. Ustalenia były takie: ja w październiku odpalam swój kongres, na którym on wystąpi i wyraźnie zabierze głos, po czym miesiąc, półtora później albo SLD za to go wywali z hukiem, albo przymuszony niejako przez swoją partię będzie musiał odejść sam. Cały czas przy założeniu, że trzecim liderem będzie Arłukowicz. Kalisz naciskał co prawda, by z ogłoszeniem partii poczekać, tak by wystartować równo na sześć miesięcy przed wyborami. Taką zasadę wpoił mu Aleksander Kwaśniewski. Ja nie mogłem jednak czekać, bo moje sprawy w Platformie poszły już za daleko i dalsze przeciąganie ostatecznego wyjścia sprawiłoby, że straciłoby ono na autentyczności. Ale negocjacje z Kaliszem się przez to nie posypały. Spotykaliśmy się przynajmniej raz w tygodniu i ustalałem z nim wszystkie szczegóły kolejnych posunięć. To przecież on umówił mnie ze Słowakami z populistycznej partii, której nieoczekiwanie udało się wejść do parlamentu. On organizował rozmowę z Kwaśniewskim. I rzeczywiście po części dotrzymał słowa – na kongres przyszedł, co było jednym z istotnych powodów jego sukcesu. Ale z SLD nie wyszedł do dziś. W listopadzie jeszcze mówił: „Janusz, ja cały czas prowokuję tego Napieralskiego, nie mogę na niego patrzeć, nie mogę z nimi współpracować, ale oni mnie jakoś nie wywalają. Będę jednak jeszcze działał, bo lepiej, żeby sami mnie wywalili". Tymczasem Grzegorz Napieralski konse-

kwentnie go wypychał, ale nie miał zamiaru wyrzucić. Stosował strategię Tuska.

Co to było za spotkanie z Kwaśniewskim?
Faktycznie było ich kilka. Nietrudno zresztą
o kontakt, bo jesteśmy sąsiadami, on ma biuro obok
mojego warszawskiego mieszkania. Rozmowa dotyczyła generalnie tego, jak się buduje partię. Sam Kwaśniewski jednak od razu zastrzegł, że będzie miękko
popierał moją inicjatywę, ale do niej nie wejdzie, bo
nie chce się już angażować w politykę. W mediach
jednak podkreślał, że na miejscu SLD nie lekcewa-
żyłby Palikota. Te wypowiedzi były właśnie efektem
tych spotkań.

**Dlaczego Kalisz nie zdecydował się sam odejść
z SLD?**
Myślę, że w związku z tym, że cała jego droga życiowa była związana z tym środowiskiem, najpierw z PZPR-em, potem z SLD, że to było dla niego
trudne do przeskoczenia mentalnie. To byłoby dla
niego jak ucieczka z domu rodzinnego, jak przecięcie
pępowiny. Nie wierzę, że przejdzie do PO. Choć Graś
mówił mi już dawno: „Janusz, Kalisz jest nasz".

**Co w ogóle sprawiło, że w polityce skumaliście
się z Kaliszem?**
Tak się składało, że często występowaliśmy razem w mediach. I zawsze nasze stanowiska
były bardzo zbieżne. Jego zaangażowanie w sprawy
światopoglądowe jest autentyczne, nie taktyczne na
użytek wyborów jak u Napieralskiego. Z czasem nić
sympatii się umocniła, bo tak on, jak i ja znaleźliśmy

się na aucie w swoich partiach, pełniliśmy rolę dysy-
dentów. Można powiedzieć, że Kalisza pchnął w moją
stronę Napieralski. Poza tym jest on człowiekiem
bardzo atrakcyjnym towarzysko. Dobrze się z nim
rozmawia. I tak jak Arłukowicz ma dobrą „gębę". Sta-
nowilibyśmy dobry miks. Tak myślałem kilka miesięcy temu, a dziś wiem, że byłby to błąd. Wraz z Kaliszem i Arłukowiczem straciłbym wiarygodność!!!
To paradoksalne, ale tak jest! Obaj są bowiem ludźmi
obecnego systemu i obciążeni wszystkimi jego słabo-
ściami! W nich najlepiej widać, że w kraju nie ma autentycznej lewicy, tylko lewicowa partia władzy!

**Sam Kalisz wydaje się bardzo przekonany
o swojej indywidualnej sile. Prywatnie też?**

On się otacza dziwnymi ludźmi. Jest zako-
rzeniony w tej części polityki przedrywinowskiej,
w tych towarzysko-biznesowo-politycznych ukła-
dach. I rzeczywiście jest potwornym egocentrykiem.
Zbliża się na tym polu do Chlebowskiego. Jest absolutnie przekonany, że dźwiga całą lewicę na swoich
barkach, że za nim stoją tłumy wielbicieli i – jak mówił – około trzystu działaczy, którzy są gotowi w geście solidarności wyjść z nim z SLD. Jego prawdziwa
ambicja to zostać prezydentem. Szuka okazji, żeby
zostać marszałkiem Sejmu i z tej pozycji startować
do Pałacu Prezydenckiego. To taki widoczny kompleks Kwaśniewskiego. Powtarzał mi nieraz: „Janusz,
mnie interesuje duża gra, my musimy mieć 14, 16
procent".

**Ale chroni raczej swoją prywatność, inaczej niż
wielu pretendentów do takich ról?**

Tak, bo jest rozwiedziony. Ma obecnie przyjaciółkę Beatę, z zawodu lekarkę. Byli u nas z wizytą. Ta dziewczyna jest strasznie w niego zapatrzona, do tego stopnia, że przy okazji jakichś rozważań nagle oburzyła się zdumiona sugestiami samego Kalisza: „Co ty?! Ryszard, ty chciałbyś być prezydentem Warszawy?! Przy twoich możliwościach, twojej pozycji?! Nie możesz stawiać się tak nisko". Kiedy ją obserwowałem, przyszły mi na myśl te znane z historii mechanizmy pociągu kobiet do władzy. Bo przecież urodziwy to on aż tak nie jest.

BARTOSZ ARŁUKOWICZ

Te pana opowieści o tym, że miał być z panem na serio dogadany, trochę tracą na wiarygodności w obliczu tego, że dziś ten polityk jest już w PO.

„Plastik", słowo, którego używał kiedyś w stosunku do PO, najbardziej pasuje do niego. Ta decyzja o ostatecznym wstąpieniu do PO mnie nie dziwi, bo to człowiek nastawiony przede wszystkim na szybką samodzielną karierę. Mocno się do niego rozczarowałem, kiedy go bliżej poznałem. W rzeczywistości jest pusty w środku. Podobnie jak Kalisz przekonywał, że jest w stu procentach zdecydowany do mnie przystąpić. Rozmowy trwały miesiącami. Był u mnie w Dzierwanach na początku września 2010 roku. W sumie przegadaliśmy dziesiątki godzin, spotykaliśmy się regularnie dwa razy w tygodniu. Nie pamiętam, ileż to razy ustalaliśmy jego datę wyjścia z SLD i szczegóły konferencji w tej sprawie. W ostatniej chwili, kiedy ja miałem już zapowiedzianą konferencję prasową, wycofał się. To, że wtedy pojawiłem się z Piotrem Tymochowiczem, było spowodowane właśnie jego zachowaniem. To był zresztą błąd, bo nie zdawałem sobie sprawy, że on ma tak zrujnowany wizerunek medialny. Ale musiałem jakoś opanować sytuację, miałem już rozkręconą psychozę medialną i jedyną alternatywą było wyjście i powiedzenie, że dwóch facetów właśnie wystawiło mnie do wiatru. Po tym doświadczeniu ostatecznie nabrałem przekonania, któremu jestem wierny, że z ludźmi, którzy są długo w polityce, nie można robić niczego na poważnie. Zawsze oszukają. A jeśli nie, to tylko dlatego, że akurat to im się bardziej opłaca. Te doświadczenia przekonały mnie ostatecznie, że trzeba zmienić całą tę klasę polityczną, że z nimi się nigdzie nie dojedzie.

Ma mu pan za złe, że wybrał ofertę Tuska? Trudno się chyba dziwić.

Nie, każdy ma prawo robić karierę, gdzie chce. Mam mu za złe, że zachował się jak świnia. Jeszcze dwa tygodnie przed ogłoszeniem, że wchodzi do rządu Tuska, dzwonił do mnie z prośbą o rozmowę. Dopytywał o moją inicjatywę: o plany na kampanię, o strukturę. Wyciągał po prostu informacje dla Donalda. A to już jest zwykłą, całkowitą podłością. Ale nie to jest nawet najgorsze. Klęska Arłukowicza to dowód na to, że obecny system jest w stanie zniszczyć każdego!

Ale jest zdolny, szybko się wybił i wyczuł, na czym polega skuteczność w polityce.

Dzieciak, tak naprawdę. Sensat. Wszystko przeżywa jak małe dziecko. „Jej, jaka masakra!" – to jego charakterystyczna reakcja. Do tego ma niesamowicie uniżony stosunek do Kwaśniewskiego. Stukał przed nim pantofelkami. Teraz będzie to robił przed Tuskiem, nieświadomy, jak szybko on wgniecie go w ziemię.

GRZEGORZ NAPIERALSKI

Ma zadatki na prawdziwego lidera?
Już samo to pytanie brzmi jak żart. Napieralski to niesamowity poziom naiwności i duchowej pustki. Całkowity plastik, sztuczny, o bardzo małych horyzontach. Jeśli ktoś taki jak Napieralski zostanie kiedyś w Polsce premierem, to będzie znaczyło, że naprawdę jako naród nie mamy w głowie poukładane. Postać powiatowa.

Ale mówi się, że jednak dużo się uczy, kreując się na samego Tuska.
Tyle że Tusk jest człowiekiem wybitnie inteligentnym, do którego pięt Napieralski nigdy nie dorośnie. On sprawia wrażenie, jakby w życiu niczego nie czytał, nie widział, niczego nie rozumiał. Jest jak wydmuszka. Żeby mógł w ogóle aspirować do pozycji Donalda, musiałby mieć jakieś obycie, kontakt z kulturą czy przejść doświadczenie ciężkiej, fizycznej pracy, co Tusk też w swoim życiu przerobił. W Napieralskim nie ma żadnej substancji.

Ale zgodnie z tendencjami interesuje się nowymi technologiami, korzysta z portali społecznościowych. I ładnie się uśmiecha, jak mówią, nawet Tuska przeganiając

**w rankingach zaufania. Czemu ludzie mieliby
tego nie kupić?**

Już widać, że nie kupią. To chwilowa popularność plastikowego człowieka, która nijak nie przekłada się na wyniki SLD. Ci, którzy tak wychwalają Napieralskiego, zapominają, że Sojusz Lewicy Demokratycznej tak naprawdę nie dostał pod jego przywództwem więcej niż 14 procent, że on jedynie utrzymuje ten stary, twardy lewicowy elektorat. A i w tej grupie jest coraz więcej takich, którzy zastanawiają się, gdzie tu znaleźć alternatywę dla swoich sympatii. W Sejmie miałem okazję rozmawiać z nim wiele razy, więc wiem, co mówię. Poseł Marek Wikiński zapraszał mnie nawet na wódkę z Napieralskim, ale pewnie też dlatego, że sam Wikiński to bardzo niesolidny, niepewny człowiek. Zatem odmówiłem. Napieralski składał mi jednak propozycje polityczne. Kiedyś siedzieliśmy obok siebie w trakcie Parlamentu Studenckiego. „Janusz, masz jak w banku u mnie miejsce. Warszawa? Proszę bardzo, startuj!" – namawiał mnie wówczas. Ale ja jestem od tego, żeby w polityce coś zmienić. Inaczej niż Napieralski.

WŁODZIMIERZ CIMOSZEWICZ

Ryszard Bugaj w swoim „Alfabecie" zauważył, że Cimoszewicz to człowiek, który jakoś zawsze znajduje się przy miseczce z konfiturami. Celne?

Rzeczywiście coś w tym jest. Teraz trzyma się Tuska. Byłem u niego kiedyś w jego sejmowym pokoju, bodaj w 2009 roku, na pewno przed kampanią prezydencką. Rozmawialiśmy z godzinę, właśnie o tym, jak ta kampania powinna wyglądać, czy on nie planuje jednak znów wystartować. Szczególnie dużo i nawet ciekawie mówił o doświadczeniach amerykańskich i tamtejszej praktyce sądowniczej, z racji tego, że ma w USA rodzinę. Pamiętam, że przekonywał mnie wtedy bardzo do koncepcji pracy sądów na dwie zmiany. Naciskał, żebym podsunął to Tuskowi. Ale generalnie nie złapałem z nim wspólnego klimatu.

Dlaczego?
Jesteśmy po prostu zupełnie innymi kategoriami ludzi. On stanowi bardziej tę à la Zdrojewski. Długo się z nimi nie pogada. Jest bardzo skoncentrowany na sobie, nastawiony, żeby tylko mówić samemu, rekomendować, a nie na wymianę myśli.

ALEKSANDER KWAŚNIEWSKI

Były prezydent – to jest dla pana jakiś idol? Przeszedł pan fascynację tym politykiem?
Absolutnie nie. Mój stosunek do Kwaśniewskiego to w ogóle bardzo dziwna historia. Kiedy był prezydentem, miałem do niego bardzo daleko posunięty dystans. Dla mnie kandydatem na głowę państwa był już bardziej Lech Wałęsa. Nie podobało mi się, że on tę prezydenturę sprowadzał tak bardzo na pozycje kolorowej gazety. To były takie plastikowe trochę kadencje. Ale gdy dziś patrzę na Napieralskiego czy jemu podobnych, to Kwaśniewski jawi się wręcz jako spiżowy dzwon. Choć w Juracie dostałem od niego medal zasłużonego dla biznesu, to jednak nie był to człowiek z mojej bajki. Dziś jednak

stawiam go wyżej. To wypadkowa porównania z na-
stępcami. A do tego po latach okazało się, że jesteśmy
sąsiadami z jednej ulicy, Alei Przyjaciół w Warszawie.

I utrzymujecie bliższe kontakty?
Nie, ale owszem, spotykamy się, na ogół
przypadkowo na ulicy. Pogadamy z dziesięć, piętna-
ście minut i tyle. Kiedyś była taka śmieszna historia,
bo natknąłem się na niego, wychodząc ze swojego
mieszkania z Bartkiem Arłukowiczem. Kwaśniewski właśnie wysiadał z samochodu. „Co, widzę, że
spiskujecie" – uśmiechnął się. „To powiem wam, że
z tego, co słyszałem, mogą być przyspieszone wybory. Wiem, bo byłem testowany w temacie wiosenne-
go terminu".

Przez kogo był konsultowany?
Mówił tak, jakby przez kogoś z otoczenia Tuska. Opowiadał, że był pytany o to, co by radził, jaką
reakcję mogłaby wywołać taka decyzja. Nie dam
głowy, że mówił to na poważnie, może tylko tak się
przechwalał. Na Arłukowiczu w każdym razie, który ma do niego, jak wiadomo, niesamowity respekt,
zrobiło to duże wrażenie. A ja swoją drogą wiedziałem, że rzeczywiście coś jest na rzeczy. To był czas,
kiedy rząd Tuska żył jeszcze w niepewności, czy uda
się wynegocjować z Unią Europejską, żeby zobowiązania ZUS-u nie wchodziły do długu publicznego.
I w związku z tym premier nie był pewien, czy za jego
kadencji dług nie przekroczy tego konstytucyjnego
55-procentowego progu. I rzeczywiście, był również
rozważany wariant, w którym, by tego uniknąć, rząd
wcześniej podaje się do dymisji.

Kwaśniewski ma jeszcze ambicje rozgrywania lewicy? Angażuje się w politykę partyjną?

Chętnie radzi, jest w stanie jakoś wesprzeć, ale podkreśla, że on już w politykę na dobre się nie zaangażuje. Mnie powiedział, że odnosi się z sympatią do mojej inicjatywy, ale wskazywał, że aby coś wyszło, to po pierwsze, nie można mieć mniej niż 15 milionów złotych, po drugie, trzeba mieć struktury na poziomie wszystkich gmin i po trzecie, media, media i jeszcze raz media. Ten akcent nie dziwi. Kwaśniewski był przecież prekursorem takiej bezsubstancyjnej polityki, którą do świetności doprowadził Tusk.

A jakoś panu, pierwszemu tropicielowi potknięć Lecha Kaczyńskiego, u Kwaśniewskiego nie przeszkadzały te wpadki z tak zwanymi problemami z goleniem czy jakimiś egzotycznymi ponoć przypadłościami.

Przeszkadzały, i to bardzo! Tylko kiedy miały miejsce, ja nie byłem jeszcze w polityce.

A gdyby pan był, organizowałby pan protesty wzywające go do zrobienia badań?

Oczywiście. Ja apeluję publicznie, nawet do mojego przyjaciela Bronisława Komorowskiego, o ujawnienie swojego stanu zdrowia. I to ja podnosiłem, iż być może tak jest, że gdy ktoś zostaje w Polsce prezydentem, to zaczyna mieć problemy z alkoholem, mając na myśli również Kwaśniewskiego. Pyta mnie pani o chorobę byłego prezydenta?! Tak, jestem przekonany, że ma problemy z alkoholem! Ale nie ja jestem winien, że wtedy publicznie nikt nie zrobił z jego picia problemu. I mam chociaż satysfakcję, że między innymi dzięki mnie już żadnemu prezydentowi nie upiecze się nietrzeźwość nad grobami polskich żołnierzy, tak jak to miało miejsce w przypadku Kwaśniewskiego. Nawet jeśli PO wycofała się z projektu ustawy, który zostawiłem, o obowiązku ujawniania stanu zdrowia przez najważniejszych ludzi w państwie. Przeciwko rezygnacji z tego projektu przez dwa dni zresztą głośno protestowałem.

ADAM MICHNIK

Polskie życie publiczne dzieli się trochę na wyznawców i wrogów redaktora naczelnego wielkiej gazety. Pan jest chyba z tej pierwszej grupy?

Rzeczywiście, Michnika lubię jako człowieka, jako taką żywą inteligencję. Uważnie słucha innych, ma odpowiadające mi poczucie humoru, a do tego fantastyczny z niego gawędziarz. Nie sposób zliczyć te jego anegdoty. O, choćby wczoraj, kiedy wracaliśmy razem z opery Mariusza Trelińskiego. Zagadnął mnie, jak mi się podobała. Ja na to, iż rzeczywiście dobra, ale że jestem też pod niesamowitym wrażeniem spektaklu Janusza Opryńskiego „Bracia Karamazow", na którego próbie generalnej byłem dzień wcześniej. „Ty jesteś, Janusz, jak Marek Edelman" – zaśmiał się na to Michnik. I zaczął opowiadać, jak to był z nim w słowackim Splicie. „Zobacz, jaka piękna starówka" – mówi Adam. A Edelman na to: „A w naszej żydowskiej dzielnicy w Wilnie...". I to jest to, co ja w naczelnym „Gazety Wyborczej" kocham: ten żart, to spojrzenie na świat. Ale z drugiej strony nie podzielałem i nie podzielam w zasadzie do dziś jego rozgrzeszenia dla generała Czesława Kiszczaka. Może jeszcze jego stosunek do Wojciecha Jaruzelskiego jestem w stanie zrozumieć, bo to bardziej skomplikowana figura. Ale wobec Kiszczaka nie było powodu, by stosować taką taryfę ulgową. Generalnie jednak to właśnie „Gazeta Wyborcza" mnie ukształtowała, zawsze głosowałem na Unię Wolności i było dla mnie zaszczytem, kiedy później poznałem Michnika. Bez wątpienia to postać kultowa, jeden z bohaterów mojej wyobraźni.

A afera Rywina w ogóle nie zmieniła pana postrzegania?

Nie zmieniła mojego osobistego stosunku do Adama. Choć rzuciła cień. Takiego Michnika wcześniej nie znałem. Wtedy dostrzegłem jeszcze inne jego oblicze: egotyczne, oblicze człowieka, który ma niesamowitą potrzebę posiadania wpływu na wszystko. Jak każdy egotyzm prowadzi to do personalnych kłopotów. Nie ma co ukrywać, że afera Rywina go osłabiła. Niezależnie od swoich intencji dał się wmanewrować w taką, a nie inną rozgrywkę.

Miał pan poczucie, jak Jan Rokita, że „Gazeta Wyborcza" też nie jest zupełnie krystaliczna w tej sprawie?

Znam Michnika i nigdy nie uwierzę, że to była jego intencja. To nie ten typ myślenia. To widać po człowieku, gdy pije się z nim wódkę czy nawet herbatę. Ale nie wykluczam, że zarząd Agory nie do końca czysto to wszystko rozgrywał.

A pił pan z nim wódkę?

Często piliśmy. On pije właściwie tylko wódkę. Ewentualnie whisky. Przywozi z Gruzji fantastyczne czacze, takie bimbry destylowane. Ale trzeba też powiedzieć, że dziś to już nie ten sam Michnik, i pod tym względem, co dziesięć lat temu. Kiedyś wykład dla Polskiej Rady Biznesu miał profesor Leszek Kołakowski, przyjaciel Adama. Po konferencji zaprosiłem ich na kolację. Ja i Kołakowski piliśmy wino, redaktor whisky. Próbowałem Michnikowi towarzyszyć, dotrzymując tempo winem, które – jak wiadomo – jest o wiele słabsze niż whisky. Ale jednak szybko odpadłem z gry. Wymknąłem się, wykorzystując to, że Kołakowski też wyszedł. Było około pierwszej w nocy. Michnik z resztą siedzieli ponoć do czwartej nad ranem i jak doniósł mi SMS-em profesor Jerzy Kłoczowski – inny uczestnik tego spotkania – poszło jeszcze morze alkoholu. Nazajutrz włączam radio o ósmej rano, a tu gościem audycji jest... Michnik. Trzeźwy, jakby nigdy nic. Byłem w szoku. Chyba już z rok później odtworzyłem mu tę sytuację, pytając: „Jak ty to zrobiłeś?!". A on mi na to: „Janusz, ja? Co tam ja. Czesiek Miłosz to jest potęga. Kiedyś pojechaliśmy na konferencję do Hiszpanii. Dzień przed wykładami piliśmy do rana. Ja wstałem trzy godziny później ledwie żywy, zszedłem na śniadanie nieświeży, patrzę, a tu Czesiek w białym kołnierzyku, z żoną, jakby nigdy nic zabawia towarzystwo, opowiadając coś ze swadą".

Więc nie pije już tyle, ale też stracił już chyba w pewnym stopniu wpływ na rzeczywistość? Pod tym względem to już nie ten sam Michnik? Choć wciąż węszy faszyzm?

Z pewnością nie ma już takich wpływów. Dla mnie Michnik niezależnie od wszystkich błędów to jednak kamień węgielny pod nowoczesność w Polsce. W polityce nie był generalnie moim mentorem, ale podzielam jego lęki, jeśli chodzi o faszyzację. Podobnie jak on uważam, że ta groźba z LPR-u przeszła na PiS. Dlatego też Adam zagłosuje na Platformę, choć początkowo był jej bardzo niechętny. Kiedy wchodziłem do PO, próbował mnie zatrzymać. „Po jaką cholerę ty idziesz do polityki?! Wiesz, co to za ludzie?!" – krzyczał. Nie uznawał Donalda. A dziś tylko on dla niego istnieje. „Źle robisz, że krytykujesz Tuska. Musimy obronić się przed PiS-em" – pouczał mnie. On sprawia wrażenie człowieka autentycznie spanikowanego Kaczyńskim. I dlatego w kwietniu zapowiedział mi otwarcie, że mimo iż się kolegujemy, zagłosuje na Tuska. Bo PiS to wciąż realne zagrożenie.

JAROSŁAW KACZYŃSKI

Emocje negatywne przez chwilę proszę trzymać na wodzy. Zaimponował panu kiedyś na serio szef Prawa i Sprawiedliwości?

Muszę przyznać, że tak. W 2010 roku, po katastrofie smoleńskiej, kiedy ponad połowa ważnych polityków PiS-u zginęła, w tym jego brat, prezydent, on się jednak nie poddał i z taką determinacją prowadził wybory, że o mało co praktycznie ich nie wygrał. Dla mnie to obraz wręcz nieludzkiej determinacji.

Zamienił pan z nim choć słowo przez te wszystkie lata?

Nigdy bezpośrednio. Czasem coś do niego pokrzykiwałem na sali sejmowej, a on odpowiadał.

A chciałby pan pogadać z nim dłużej? Wydaje się panu, że za kulisami to mógłby być dobry rozmówca, że moglibyście znaleźć jakiś wspólny temat?

Trudne pytanie. Najtrudniejsze. Jest coś, co szczególnie na serio mnie w nim frapuje. Pewnie nie odpowiedziałby mi szczerze, ale chciałbym usłyszeć, czy nie ma czasem ochoty pójść na grób Barbary Blidy i sobie popłakać? Ciekawe jest też pytanie o źródła jego resentymentu. Ale to pewnie i dla niego zagadka!

Was nic nie łączy? Zupełnie nic?

Jest jeden punkt wspólny. Łączy nas antysystemowość. Tyle że Kaczyński używa jej do podważania demokracji, a ja do jej wzmocnienia.

Niezależnie od przekonań, powiedziałby pan o nim, że jest politykiem z charyzmą?

Nie. Naturalnie, nie ulega wątpliwości, że ze swoją zdolnością przyciągania ludzi i podporządkowywania ich sobie jest pewnym fenomenem, jest politykiem wyróżniającym się na polskiej scenie politycznej. Dla mnie po pierwsze jednak jest odpychający. Ponadto ja charyzmę rozumiem jako zdolność do przyjmowania pewnych stanowisk, rozwiązań, dokonywania wyborów wbrew swojemu krótkotrwałemu interesowi. U Kaczyńskiego kalkulacja i gra przeważają zdecydowanie nad takim charyzmatycznym sposobem myślenia.

Ale nie bez powodu panuje na przykład powszechne przekonanie, że inaczej niż Napieralski na koalicji z PiS-em, Kaczyński na koalicji z SLD by się nie wywrócił? W takim sensie, iż ma tak oddanych wyborców, że przyjmą każdy jego wybór, pójdą za nim zawsze?

Ale też nie do końca. Dlaczego po kampanii prezydenckiej w 2010 roku Kaczyński powrócił do ostrego języka? Jestem przekonany, że z obawy, iż jego elektorat dłużej jednak tego łagodnego tonu nie wytrzyma, a w konsekwencji odda pole dla rozbudowania jakiejś alternatywie, radykalnej prawicy, którą część tych jego wyborców uzna za bardziej wiarygodną.

Sądzi pan, że gdyby Tusk osłabł, przegrał kilka kolejnych wyborów, wciąż miałby te 20 procent wyznawców, ile ma, jak się szacuje, dziś Kaczyński?

Chyba nie. Prawdą jest, że jego twardy elektorat jest pewniejszy niż Tuska. Choć sytuacja Donalda i tak się poprawiła od czasu początków rządu.

Co takiego jest w Kaczyńskim, co sprawia, że ma tak oddanych wyznawców?

To polega na odwoływaniu się do najniższych instynktów. Tusk miał na początku zbyt dużo oporów, by do nich sięgnąć, a kiedy był na to gotów, Kaczyński już zagospodarował to pole.

Ta wojna między Kaczyńskim a Tuskiem to jest autentyczny konflikt cywilizacyjny, jak to obaj, akurat zgodnie, przedstawiają?

Oczywiście, że nie. To jest w większym stopniu teatr, na który media dają się nabrać. Od stosunku do Kościoła i innych spraw światopoglądowych przez IPN, do nawet stosunków międzynarodowych – można mnożyć punkty, w których oni myślą podobnie. Może stosunek do Niemiec i Rosji ich jakoś dzieli, ale już do USA wcale niekoniecznie. Różnice wszędzie niemal sprowadzają się do intensywności przekonań. To z pewnością nie jest wojna światów. Można powiedzieć wręcz, że choć PO-PiS na poziomie wspólnych rządów nie zaistniał, to faktycznie on trwa, jesteśmy jego świadkami. Tyle że na bazie animozji personalnych, wojen o krzesła i samolot czy teraz na bazie katastrofy smoleńskiej Tusk z Kaczyńskim stworzyli dla opinii publicznej fikcyjny wybór.

A jaki jest stosunek Tuska do Kaczyńskiego? Zwykł za zamkniętymi drzwiami podchodzić do niego jakoś emocjonalnie?

On naprawdę go uważa, jak kiedyś Kaczyński podsłuchał, za potwora. „Potwór" to słowo, jakim najczęściej go określał. Taki potwór, który wszystko kalkuluje. Inaczej niż Lech Kaczyński, o którym Tusk opowiadał raczej jako o normalnym, sympatycznym człowieku, z którym czasem fajnie napić się wina i pogadać. Ale Jarosława Donald dobrze rozumiał. Nienawidził w nim tego, co sam w sobie zauważał coraz częściej. Bo wbrew pozorom idą trochę podobną drogą, drogą kalkulowania wszystkiego i wszystkich. Można w pewnym sensie powiedzieć: trafił swój na swego.

Mówi pan, że Kaczyński jak Tusk kalkuluje wszystko dla interesu politycznego. Ale czy w obu przypadkach celem za wszelką cenę jest władza? Przecież gdyby Jarosław Kaczyński na przykład nie zszedł z tego łagodnego tonu w kampanii prezydenckiej, mógłby w kolejnych wyborach realnie myśleć o ponownym sięgnięciu po władzę. A jednak wybrał inną drogę.

Tak, to, że odszedł od tego łagodnego tonu, wynika z tego, że jego priorytetem jest jednak niedo-puszczenie do wzmocnienia się kogokolwiek po prawej stronie sceny politycznej. Robi przede wszystkim wszystko, by nie powstała alternatywa dla tych rady-kalnych prawicowych wyborców. Jest świadomy, że taka partia wypchnęłaby go do środka sceny, na któ-rym ostatecznie by zginął. Jeśli zatem Kaczyński ma do wyboru wygrać wybory albo utrzymać to twarde zabezpieczenie dla siebie po prawej stronie, to zawsze wybierze zabezpieczenie. Wie, że tylko na czas kam-panii może sobie pozwolić na złagodzenie tonu. Ta strategia sprawdziła mu się kilka razy i będzie się jej trzymał. Tak zresztą analizował to Tusk. To nie zmie-nia jednak faktu, że dla władzy Kaczyński potrafi też grać mocno. Po rehabilitacji postkomunistów i Gier-ka, co jeszcze mógł powiedzieć w ostatniej kampanii prezydenckiej?

W którym momencie Jarosław Kaczyński pana politycznie najmocniej zatrwożył? A kiedy zdarzyło się, że poczuł pan choć przez chwilę sympatię do niego?

Wzięcie Andrzeja Leppera i Romana Gier-
tycha do rządu było jednak momentem najbardziej
zatrważającym. Mnie realnie mocno uderzyło, że on
jest do tego zdolny, że za nic nie jest w stanie zrezygnować z przywileju formowania rządu. Było w tym
coś diabelskiego. A potem powiało trwogą, gdy zdecydował się wziąć na swój pokład Tadeusza Rydzyka
z całym jego bagażem. Rydzyk wyzywa od czarownic
żonę jego brata, a on milczy, po czym dalej jest z nim
w komitywie. Dla mnie, nawet biorąc pod uwagę brutalność i cynizm w polityce, to jednak niewyobrażal-
ne. A sympatię poczułem do niego przez chwilę, na
przykład kiedy w ostatniej kampanii mówił o Józe-
fie Oleksym jako o polityku lewicy średnio-starsze-
go pokolenia. Wiadomo, że chodziło tylko o przypo-
dobanie się lewicowemu elektoratowi. Ale Kaczyński
mówił to z takim fajnym uśmieszkiem, jakby mruga-
jąc okiem do wszystkich: wiecie, o co chodzi. To była
taka wielopiętrowa wypowiedź, budząca sympatię.

**A kto bardziej panuje nad swoimi emocjami:
Tusk czy Kaczyński?**

Zdecydowanie Tusk. On się wścieka tylko za
zamkniętymi drzwiami. Kaczyński w publicznych
wystąpieniach częściej pójdzie za swoją realną emo-
cją.

**Zatem Kaczyński publicznie jest bardziej
autentyczny?**

Takiego wniosku bym nie wyciągał. Powiedziałbym, że grają jednak tak samo. Tyle że Kaczyński gra bardziej takimi podstawowymi emocjami ludzi.

KAROL KARSKI

**Kiedy pytałam pana o jakieś osobiste
wspomnienie o którymś z obecnych polityków
PiS-u, wskazał pan właśnie na niego.
Co to za skojarzenie?**

To był bodaj jedyny człowiek z obecnego
PiS-u, który kilka razy sam, jakby zupełnie poza to-
czącą się polityką, mnie zagadywał. Zawsze o nalewki. Nawet kiedy był już mocny nakaz w PiS-ie, że nie
wolno się do mnie odzywać, on na sejmowym korytarzu opowiadał mi, jakie nalewki kupił, dopytywał
o receptury, z entuzjazmem podchodził do tych produkcji, które prowadziłem z moją firmą. A ja widząc
u niego tę autentyczną pasję, podarowałem mu raz
jakąś flaszkę. A on ją przyjął.

PAWEŁ PONCYLJUSZ

**To chyba polityk PiS-u, z którym był
pan najbliżej. Można powiedzieć, że się
kolegowaliście?**

To ciut za dużo powiedziane, ale rzeczywiście byliśmy w bardzo dobrych relacjach. Oprócz niego naprawdę dobrze rozmawiało mi się z Pawłem Ko-
walem, ale to tylko ze względu na spotkania u ojca
Macieja Zięby.

**Z Poncyljuszem zbliżyła was praca w komisji
Przyjazne Państwo. Ale to nie jedyne miejsce,
w którym się spotykaliście?**

Nie. Spotykaliśmy się też bardziej prywatnie,
a to na kawie, a to na obiedzie. Ja naprawdę bardzo

chciałem stworzyć z tej komisji taki swój ponadpartyjny zespół do walki z biurokracją. Z Pawłem się dosyć dobrze pracowało, był sympatyczny i widać było, że mu zależy. Stąd te spotkania w knajpach w okolicy Sejmu.

Te rozmowy dotyczyły tylko prac komisji?
Wtedy w większości tak, czasem na koniec, jak to bywa, zagadywaliśmy też na bardziej luźne tematy. Ja już wtedy miałem wrażenie, że on faktycznie nie reprezentuje takiego czystego PiS-u. Pamiętam, że jego wielką ambicją było zostanie prezydentem Warszawy. Był długo przekonany, że od Kaczyńskiego dostanie nominację na kandydata Prawa i Sprawiedliwości. Twierdził, że ma od niego taką obietnicę. Ja i Graś ostrzegaliśmy go, że to nie wchodzi w grę. I mieliśmy rację.

A nadawałby się na prezydenta Warszawy?
Z pewnością nie jest gorszy od Hanny Gronkiewicz-Waltz. A może nawet byłby lepszy. Prywatnie, nie pije alkoholu, jeździ na rowerze.

Ujawniał w rozmowach z panem swój stosunek do Jarosława Kaczyńskiego i kolegów z PiS-u?
W pewnym stopniu podziwiał Jarosława za taktykę. Czasem wyrażał jednak żal, że – jak mówił – nigdy nie będzie dopuszczony do „Kaczora" tak blisko, jak dopuszczany jest ten jego zakon. Potem, szczególnie po tym, jak razem wystąpiliśmy na pozowanym zdjęciu na okładce „Polityki", narzekał, że „Gosiu" [Przemysław Gosiewski – przyp. red.] go ciągle ściga, że jeździ po nim, że przez „Gosia" już led-

wie dyszy. W pewnym momencie prosił mnie nawet, żebym przestał tak ostro politycznie się wypowiadać, bo to go zabije. Ja mu odpowiedziałem jednak, że nie mogę, bo jeśli nie będę politycznie zabierał głosu, to zabiję komisję, a PO mnie zmarginalizuje.

Radził się pana w sprawach wizerunkowych?

W czasie prac komisji nie. Czasem mu opowiadałem, na czym polega nowoczesna komunikacja, PR, że bez tego nie da się funkcjonować, ale on stał na stanowisku tradycyjnego uprawiania polityki, wierzył, że wystarczą dobry program, słuszna sprawa, by odnieść sukces. Jakoś pod koniec 2009 roku dokonał jednak zwrotu w tym myśleniu. Często wtedy powoływał się na rady Eryka Mistewicza. A już do kampanii prezydenckiej Jarosława Kaczyńskiego praktycznie wprowadził mój język i instrumentarium. Kiedyś w rozmowie powiedział, że przyznaje mi rację, że historii nie da się dziś opowiedzieć inaczej niż właśnie obrazkami, tak jak ja to robię.

Po tym, jak PiS wycofało go z komisji, i po tym, jak PO wycofała pana, kontakt między wami się urwał?

Był naturalnie bardziej sporadyczny, ale po dłuższej przerwie i już po kampanii prezydenckiej w lipcu 2010 roku sam do mnie zadzwonił. Moim zdaniem już w tamtym momencie był on po decyzji o odejściu z PiS-u. Dopytywał mnie, czy moja deklaracja o odejściu z Platformy, była na serio. Pytał też, co pokazują badania, które zleciłem: czy jest miejsce między PO a PiS-em. Jego zainteresowanie moją inicjatywą wynikało z tego, że liczył, iż takie jednoczesne odejścia z dwóch stron spowodują jakąś destabilizację tych dwóch głównych graczy: Prawa i Sprawiedliwości oraz Platformy, iż te nasze projekty – choć zupełnie inne, mogą się uzupełniać, wzajemnie wzmocnić. Ja mu powiedziałem, że z badań rzeczywiście wynika jakaś przestrzeń między PiS-em a PO, ale że to jednak droga donikąd, bo Kaczyński z Tuskiem obecnie idą faktycznie w tę samą stronę i ich zgniotą. Po tym telefonie spotkaliśmy się jeszcze u niego w biurze. „Słuchaj, a może ty byś po prostu poszedł ze mną” – zaproponowałem Poncyljuszowi, nie znając jeszcze dobrze jego światopoglądu. On od razu to wykluczył. Okazało się, że pod tym względem jest człowiekiem ideowym. Jego stosunek do Kościoła, do rodziny, jest rzeczywiście autentyczny. Nie zrezygnowałby z tych poglądów.

JACEK KURSKI

Uważany jest za taki pana odpowiednik w PiS-ie, w tej wojnie polsko-polskiej obaj nie przebieraliście w środkach. Niezależnie od tego, po której stronie stoi, potrafi go pan docenić, tak na chłodno?
 Nie, uważam, że brak mu finezji. On gra tylko na jednej nucie, czarnym PR-ze. Mój przekaz jest owszem, ekstrawagancki, ale jednak bardziej złożony. W przyniesieniu świńskiego ryja do studia TVN-u czy w konferencji ze sztucznym penisem nie chodziło o atakowanie przeciwnika, tylko o konkretny problem. Kurski nigdy nie wydał z siebie

pozytywnego przekazu, nie stanął w walce o jakąś konkretną sprawę. U niego wszystko było oparte na insynuacji pod adresem przeciwnika politycznego. Pod tym względem jest bardzo podobny do Niesiołowskiego.

A poznał pan Kurskiego osobiście? Mieliście okazję się spotkać?

Tak, kiedyś przedstawił mi go Paweł Śpiewak. Kurski świetnie zaczął rozmowę. „Słyszałem o panu same złe rzeczy, ale gdy się dowiedziałem, że pan produkował wódkę żołądkową gorzką, to całkowicie zmieniłem zdanie". To był czas, kiedy PiS było przy władzy, już po akcji z „dziadkiem z Wehrmachtu", dlatego też w Platformie obowiązywał bojkot Kurskiego, nikt z nim nie rozmawiał. Nowak, kiedy zauważył nas razem, przybiegł potem do mnie z pretensjami: „Co ty, z kurą rozmawiasz?!". Odpowiedziałem mu, że skoro mi się przedstawił, to zamieniłem z nim dwa zdania, w końcu nie jest skazany.

JOANNA KLUZIK-ROSTKOWSKA

W pewnym momencie wybuchła spora burza wokół pana kontaktów z byłą współpracowniczką Jarosława Kaczyńskiego. Jak było naprawdę? Spiskowała z panem czy nie?

Trudno mówić o spiskowaniu. Rzeczywiście spotkaliśmy się w lipcu 2010 roku, kiedy ona ze swoją grupą była już zdecydowana na wyjście z PiS-u. Po raz pierwszy doszło do rozmowy w biurze Pawła Poncyljusza, gdzie nieoczekiwanie dla mnie ona się pojawiła. Wyrażała bardzo antyklerykalne poglądy, tak że byłem nawet zaskoczony. „Co ty robiłaś w takim razie w Prawie i Sprawiedliwości?!" – zapytałem w końcu. „A wiesz, bo tak życie się potoczyło. W 2005 roku nie było w zasadzie różnicy, czy jest się w PiS-ie, czy w PO. Decydowały bardziej towarzyskie względy" – odpowiedziała mi. Choć faktycznie o Platformie wtedy dobrze się nie wypowiadała, mówiąc o niej z przekąsem „Peło". „Do tej »Peło« to nie pójdziemy, ta »Peło« jest taka zupełnie bezideowa" – twierdziła.

A ona sama jest ideowa?

To właśnie paradoks. Nie. To przypadek inny niż Poncyljusza. Jest zdecydowanie typem karierowicza. Joanna ma przekonania, szczególnie w tej sferze opieki społecznej, ale na użytek polityczny jest w stanie je albo bardziej uwypuklić, albo stępić. Inaczej też niż Poncyljusz, podczas tamtego spotkania na moją propozycję, by z tymi swoimi poglądami dołączyła do mojego ruchu, nie odpowiedziała: „nie". Powiedziała, że musi się jeszcze nad wszystkim zastanowić i żebyśmy się jeszcze raz spotkali.

I spotkaliście się?

Tak, kilka dni później przyszła do mojego mieszkania. I powiedziała, że jednak nie może do mnie dołączyć, bo musi być solidarna z tą grupą z PiS-u. „Gdyby się nam nie udało, to wtedy może przyjdę do ciebie" – rzuciła. Ale jakąś sympatię do mnie chyba miała. Kiedyś mój kierowca na sejmowym parkingu niechcący stuknął – jak się okazało potem – właśnie jej samochód. Gdy więc potem spo-

tkałem ją na korytarzu, wręczyłem jej jako zadość-
uczynienie butelkę Snow Leoparda, którą akurat
przywiozłem dla Niesiołowskiego. Bardzo się ucie-
szyła i potem przysłała mi SMS-a: „Mimo że w wielu
sprawach się nie zgadzamy, to ludzie z mojego otoczenia ci kibicują". Dziś mogę powiedzieć, iż mam
szczęście, że nie związałem się z taką osobą. Ale nie
przypuszczałem, że może być aż tak zepsuta!

Część III.
Wydarzenia

UPADEK PO-PiS-u

Czemu tak naprawdę po wyborach w 2005 roku wbrew powszechnemu oczekiwaniu nie powstała koalicja PO-PiS?

Po pierwsze, Tusk po prostu nie był w stanie przeżyć podwójnej przegranej PO, w tym swojej własnej, osobistej. Żeby zrozumieć, jak niewyobrażalnym szokiem musiało to dla niego być, trzeba było widzieć z bliska te euforyczne nastroje z sierpnia 2005 roku, kiedy notowania PO przekraczały 40 procent. Donald ze Schetyną snuli plany o tym, że wyautują Rokitę i będą razem prezydentem i premierem. Pójście na pasku PiS-u, po takich przegranych, było dla Tuska po prostu psychologicznie nie do zaakceptowania. Diagnoza Kaczyńskiego, że właśnie to zaważyło na niezawiązaniu koalicji, jest akurat słuszna. Ale jest też tak, że to niepełny obraz: obok emocji była jeszcze chłodna kalkulacja. Gdyby choć Donald został prezydentem, koalicja by powstała, niezależnie od wyników wyborów parlamentarnych. Ale w sytuacji, kiedy prezydentem został Lech Kaczyński, oni mając w pamięci doświadczenie AWS-u, byli przekonani, że wcześniej czy później ta koalicja by Platformę zjadła, że na końcu podzieliliby los Unii Wolności. Wybrali więc interes PO!

Ale mimo tego szoku Platforma przystąpiła do rozmów z PiS-em o koalicji.

To była gra. Celowo wystawili do tych rozmów Rokitę. Świetnie zdawali sobie sprawę, że wówczas większość ludzi – niezależenie od tego, na którą z tych dwóch partii oddała głos – faktycznie głosowała na PO-PiS. I przystąpieniem do rozmów chcieli tym ludziom dać sygnał, iż wychodzą naprzeciw ich oczekiwaniom. Ale też nie wchodzili w to bezpośrednio, bo od początku mieli plan, żeby te rozmowy utopić. Do tego Kaczyński stawiał twarde warunki, choć ostatecznie był chyba skłonny oddać Platformie jeden z resortów siłowych, o które szło. Kaczyński bardzo chciał tej koalicji. Zresztą wszyscy w PiS-ie chcieli. Byli przerażeni, kiedy obserwowali, jak ta perspektywa się oddala. Pamiętam, że nawet do mnie, choć wówczas nie miałem żadnych wpływów, podchodził Kazimierz Marcinkiewicz, którego znałem z czasów Rady Biznesu, i nerwowo wypytywał: „Co się dzieje? Dlaczego się nie dogadujecie? Powiedz Tuskowi, że ja dam Rokicie to MSWiA". Tyle że Tusk ze Schetyną za nic nie zgodziliby się, by ten wszedł do rządu jako szef resortu spraw wewnętrznych, bo obawiali się, że to dla niego prosta droga do przejęcia partii.

Gdyby było tak, jak pan mówi, to oznaczałoby to, że przez cały ten czas z premedytacją oszukiwali Rokitę.

Bo tak było. Ale samo niewchodzenie w tę koalicję uważam za słuszną decyzję, dobrą dla PO. Tusk ze Schetyną świetnie wiedzieli, co robią, bo w tym czasie były także spotkania polityków Platformy z Andrzejem Lepperem i Romanem Giertychem. Stąd PO wiedziała, że PiS bierze pod uwagę wariant koalicji z tymi politykami. A wariant ten był tym bardziej prawdopodobny, że po kampanii prezydenckiej, wiadomo już było, iż Kaczyński może się dogadać z Lepperem. Stąd też zresztą ta panika w Prawie i Sprawiedliwości, że nie będzie koalicji PO-PiS. Każdy próbował dotrzeć do każdego, kogo znał z Platformy. Do mnie do mieszkania przyszedł w tej sprawie nawet Mariusz Kamiński w towarzystwie Grzegorza Górnego, który był szefem wydawanego przeze mnie tygodnika „Ozon".

Późniejszy szef Centralnego Biura Antykorupcyjnego gościł u Palikota?! I jakie wrażenie wówczas zrobił na panu Kamiński?

Nieśmiały, taki bohater ze „Zbrodni i kary" Fiodora Dostojewskiego, XIX-wieczny ideowiec, z lekką obsesją na punkcie swojej idei. Potem był wyjątkowo znienawidzony w Platformie, uchodził za fanatyka. Schetyna, który przecież działał z nim w opozycji antykomunistycznej, nieraz mawiał: „Boże, jak tych ludzi w PiS-ie pogięło, nawet Kamińskiego".

WYBORY PARLAMENTARNE 2007

Po podwójnej porażce Donald Tusk jednak się podniósł. Dwa lata później w kampanii był chyba w rewelacyjnej formie?

Nie tak do końca. Kiedy sondaże były niepewne, miewał i kryzysy. Bywały dni, gdy był w głębokiej depresji, nie wstawał do południa. Potworne, przygnębiające, przygniatające napięcie go nie opuszczało, bywał wycofany, sprawiał wrażenie, jakby był nieobecny. Był w kiepskim stanie przed zapowiedzianą już publicznie słynną debatą telewizyjną z Jarosławem Kaczyńskim.

Tuska przygniatała myśl zmierzenia się z Kaczyńskim?
On czuł, że idziemy pod wodę, był przerażony, że znów przegramy te wybory. Przed tą debatą sondaże nie nastrajały najlepiej.

Chciał zdezerterować?
Takie sprawiał wrażenie. Kompletny kryzys. Kilka dni przed debatą był u mnie z Pawłem Grasiem na Suwalszczyźnie. Całą dobę. Było sporo wina i cygaro za cygarem. Wówczas już nie odgrażał się, że nie pójdzie na debatę. W końcu przyciskany zdecydował się, ale długo nie miał pojęcia, jak się pozbierać, jak tę debatę poprowadzić. Ostatecznie wypadł świetnie. Jak zdołał? Do końca nie wiadomo. Miał wynajętego specjalnego trenera. Ta debata dla tej kampanii miała na pewno spore znaczenie, choć moim zdaniem mocniejsza była Beata Sawicka ze swoim płaczem. Mariusz Kamiński sposobem, w jaki rozegrał tę sprawę, faktycznie powiedział ludziom, na kogo mają głosować.

Co to znaczy, że Sawicka była mocniejsza? Sugeruje pan, że ktoś pomógł jej płakać?
Co do tego nie ma wątpliwości. Wokół tej sprawy chodził sam Schetyna. Jak zawsze za tego

typu brudne sprawy odpowiadał on. Wynajął jakiegoś PR-owca, który powiedział Sawickiej, co ma mówić i jak się zachowywać. Nie miałem wątpliwości, że ona była „prowadzona", bo to wynikało ze strzępek rozmów Schetyny, które słyszałem. „Tak, pilnuję, kontroluję, jestem w kontakcie" – raportował. Tusk naturalnie znów – przynajmniej oficjalnie – nie miał z tym nic wspólnego. On zawsze był chroniony. Święta zasada brzmiała: nikogo przypadkowego na spotkaniach, gdzie Tusk szczerze zabiera głos, żadnej możliwości jego nagrywania. Upieram się przy tezie, że to Kamiński wywalił kampanię PiS-u.

MACHU PICCHU

Gdzie pan był, kiedy w maju 2008 roku niemal cała Polska kpiła z premiera, który odbywał „swoją podróż życia" do Peru? Nie zrobił pan nic, żeby odwrócić uwagę od ewidentnej wpadki premiera.

Bo byłem akurat na wakacjach, a kiedy wróciłem, sytuacja była już nie do opanowania. Pamiętam straszne żale i pretensje Małgosi Tusk do Schetyny, że nie bronił Donalda, choć był w tym czasie na posterunku w Warszawie. Wcale niewykluczone, że od tego zaczęła się rosnąca nieufność premiera do Grzegorza. A on i Graś po powrocie Tuska dodatkowo nieźle się naigrawali. „Donald, ale jakbyś włożył jakąś czapkę, to może byłbyś bardziej przekonujący. Spróbuj może z czapką" – wtrącali na przykład przy okazji różnych narad. Wszystko było niby w konwencji dobrotliwych żartów, ale zacięta mina Tuska mówiła sama za siebie.

**Także sam Tusk obwiniał Schetynę
za tę swoją klapę wizerunkową?**

Tak. I również dawał czasem upust swoim
emocjom. „Tak, tak, Grzegorz, ty to już wtedy mnie
ładnie broniłeś. Na tobie, Grzesiu, to można świetnie polegać. Mogę jechać do Chin, chodzić sobie po
Murze Chińskim, a ty z pewnością nad wszystkim
zapanujesz. Już to wiemy" – wygarnął mu kiedyś. To
były naturalnie irracjonalne pretensje rozkapryszo-
nego tyrana. Bo po pierwsze, przecież to nie Schetyna odpowiadał za organizację wizyty w Peru. A po
jej zakończeniu czego można było bronić? Przy tak
rozhuśtanych nastrojach jedynym wyjściem z tej
sytuacji była próba obrócenia całej sytuacji w jeszcze większy żart. Jakaś forma autoironii, na przykład gdy wszyscy pojawią się w jakichś śmiesznych
czapkach czy kapeluszach.

**Nawet śladu autoironii nie było. Ale wszyscy
święci, na czele z Tuskiem, rzucili się
tłumaczyć, jak ważna z punktu widzenia
polskiej racji stanu
była to wizyta.**

I to była najbardziej idiotyczna z możliwych reakcji. Droga donikąd. To już lepiej trzeba
było szybko zająć się Lechem Kaczyńskim. Ale wtedy ten mechanizm jeszcze w Platformie nie działał.

Jaki mechanizm?

Ta metoda uderzania w Lecha Kaczyńskiego w momencie, kiedy pojawiły się kłopot czy nie-
wygodny temat. Ona na dobre ukształtowała się dopiero pod koniec 2008 roku.

**Te pana akcje, ataki wymierzone w Kaczyńskiego
były każdorazowo przeprowadzane
na zamówienie Platformy, Tuska?**

Nie! Dokładnie odwrotnie. Zapewniam, że nikt nie wydawał mi żadnych konkretnych dyspozycji. To zawsze była moja inicjatywa, mój pomysł. Tusk co najwyżej zachęcał mnie tak ogólnie. Kiedy brałem się za inny temat, na przykład po mojej konferencji o Grażynie Gęsickiej, potrafił powiedzieć: „Janusz, ty już lepiej to zostaw, zajmij się lepiej tym Kaczyńskim, skoncentruj się na nim, bo to ci dobrze wychodzi". Ale PO szybko podchwyciła tę moją aktywność. To był trochę teatr. Ja mówiłem coś kontrowersyjnego, po czym niemal wszyscy w Platformie rzucali się, by mnie potępić w mediach, grożąc karami. W ten sposób nadawali tylko rozgłos moim słowom, akcjom. Opozycja się na to nabierała, na to potępienie ze strony PO, i również ruszała do komentowania. I tak wytwarzało się ileś tam godzin komentarzy, które naturalnie odwracały uwagę od innych spraw. Tak to działało. Wykorzystywałem sytuacje, kiedy Platforma miała kłopoty, bo wiedziałem, że wtedy będą mnie pompować. Ale mnie zawsze chodziło o jakąś sprawę, o jakiś standard!

**Nie do końca, bo politycy PiS-u szybko
przestali wierzyć, że pan kiedykolwiek
zostanie na serio ukarany. Raczej Tuskowi
dostawało się za to, że trzyma pana w swoich
szeregach.**

Dlatego potem zawieszono mnie jako szefa komisji Przyjazne Państwo. W ten sposób władze PO chciały się uwiarygodnić. Szkoda tylko, że moim kosztem. Nie ukrywam, że ta kara była dla mnie naprawdę bolesna.

KOMISJA PALIKOTA

Kto wpadł na jej pomysł?
Ja sam. Przedstawiłem całościową strategię Tuskowi. Chodziło o to, by podjąć walkę z biurokracją i głupimi przepisami nie jakąś jedną wielką nowelizacją, tylko właśnie pojedynczymi, małymi zmianami, tak by rozproszyć kontrreakcję administracji, która jak wiadomo, takim ruchom staje zawsze na przeszkodzie. Jeśli pojawia się wiele małych zmian w różnych obszarach, oni muszą być skoncentrowani w wielu miejscach, a to daje szansę na większą skuteczność. To zasada takich nalotów dywanowych. Donald zapalił się do pomysłu, dał swój mandat, a w pierwszej fazie komisji również praktyczne wsparcie w osobie Sławka Nowaka. To on naciskał na ministrów i wiceministrów, a ci pod presją na swoich urzędników, by sprawnie wydawali opinie, i dzięki temu początkowo wszystko szło dość szybko. Decyzję o komisji, czując, że z tego mogą być konkretne zyski, próbował zagospodarować także Schetyna. Zanim wystartowała, dopytywał mnie co i rusz, czy na pewno jestem gotowy, wtrącał swoje uwagi.

**Ostatecznie jednak komisja okazała się porażką. Pana pomysł, pana porażka?
Zbyt dużo elementów show?**
Nie zgadzam się! Gdyby nie moja determinacja i umiejętności, nic by w ogóle nie szło albo nikt nie zauważyłby żadnych sukcesów. Po pierwsze,

opór materii, czyli urzędników, był ogromny. Robili wszystko, by te zmiany nie weszły w życie. Jeszcze większy problem zrobił się, kiedy ekipa Tuska zorientowała się, że poprzez zmiany przeforsowane przez komisję zabrałem im w sumie 2 miliardy złotych dochodów z VAT-u. Te pieniądze, zamiast zasilić budżet ministra finansów, zostały dzięki mnie w rękach przedsiębiorców. Przestraszyli się, bo proszę pamiętać, że w międzyczasie przyszedł kryzys finansowy. A do tego ja dzięki komisji zacząłem dla nich niebezpiecznie rosnąć. Powoli pojawiały się komentarze: po co my mu tak pomagamy? Za bardzo pompujemy tego Palikota.

Tak czy inaczej, polegliście na swoim sztandarowym haśle, mimo że to nie weto nieprzyjaznego prezydenta Kaczyńskiego stało na przeszkodzie jego realizacji.

To niestety prawda. Przypomnę jednak, że w komisji przygotowaliśmy 174 zmiany w ustawach. I to zaledwie w jednym roku urzędowania. Aż 74 zmiany weszły w życie. Komisje Leszka Balcerowicza, Jerzego Hausnera, Romana Kluski, niczego właściwie nie uchwaliły. A tu udało się zrobić choć trochę pożytecznego. Przez rok namawiałem Donalda do zniesienia VAT-u od darowizn, i udało się. Wprowadziliśmy likwidację procedury odrolniania ziemi, zmianę ordynacji podatkowej i wiele innych sensownych zmian. Z kolei sam Tusk pomagał zburzyć opór Ministerstwa Finansów w sprawie paragonów, które miały zastąpić faktury. Natomiast to, co Adam Szejnfeld zrobił w sprawie walki z biurokracją, było całkowitą kompromitacją. Jego tak zwane jedno

okienko to po prostu skandal. Jednak przełomu nie
ma! Dziś mam wiedzę, jak to zrobić w prosty sposób,
bez zmiany ustaw. I to jest element programu mojego Ruchu.

DYMISJA ĆWIĄKALSKIEGO

**W styczniu 2009 roku Tusk, niechętny
jakimkolwiek zmianom w swoim gabinecie,
nagle, niemal bez zastanowienia dymisjonuje
ministra sprawiedliwości po tym, jak wiesza
się świadek w sprawie zabójstwa Krzysztofa
Olewnika. To był ruch zrozumiały wewnątrz
partii?**

        I tak, i nie. To było o tyle dziwne, że Ćwią-
kalski dodatkowo nie był zwykłym członkiem rządu. Jako jedyny został wraz z wejściem do Rady
Ministrów dopuszczony do dworu. Nie brał udziału w strategicznych naradach w Kancelarii Prezesa Rady Ministrów, ale bywał regularnie na
nasiadówkach w pokoju sejmowym Mirka Drzewieckiego, kolegował się m.in. z Pawłem Grasiem.
I odnajdywał się w tej atmosferze dobrze. Pozostawał jednak profesorem, ze swoim przywiązaniem
do pryncypiów. Inaczej niż wszyscy inni w rządzie
z zewnątrz, nie dawał się do końca politycznie kie-
rować. Biorąc pod uwagę, że głównym kryterium
przy doborze ludzi Donalda była uległość, jego los
wcześniej czy później był przesądzony. Nie było tak,
że Tusk od razu zdecydował o jego wyrzuceniu, gdy
tamten człowiek powiesił się w więzieniu. Przeciwnie. Ćwiąkalski dostał sugestię, żeby zrobić określone ruchy pod publiczkę: miał to wziąć niby na

siebie, powołać jakiś specjalny zespół czy komisję, wyrzucić kilku ludzi. Ale robienie spektaklu politycznego, by ratować swój tyłek, było dla tego ministra nie do przyjęcia. Zamiast wykonać te ruchy, poszedł do mediów, próbując tłumaczyć sprawę jak prawnik, racjonalnie. Tym bardziej że miał świadomość, iż to bardziej skomplikowana sprawa, niż chciałyby tego tabloidy. I właśnie te jego komentarze wyprowadziły premiera z równowagi. To była zupełnie irracjonalna decyzja.

Nikt z tych biesiadnych kolegów nie bronił ministra?

Bronili go wyraźnie Schetyna i Drzewiecki. Donald jednak był twardy. Uznał ostatecznie, że Ćwiąkalski nie ma jednak kwalifikacji politycznych. Mówił: „Jeśli w takiej sprawie są z nim takie kłopoty, to później przyniesie mi jeszcze większe problemy". To jednak nie kompetencje, ale zbyt silna osobowość była powodem odwołania szefa resortu sprawiedliwości.

Tusk jakoś szczególnie obawiał się sprawy Olewnika?

Tak, uważał ją za jedną z krytycznych spraw. Wychodził z założenia, że opinia publiczna jest absolutnie po stronie rodziny Olewników. Kalkulował, że władza, która w tym przypadku w jakikolwiek sposób będzie miała na pieńku z opiniami ludzi, nie da rady i się potknie.

Ale można też powiedzieć, że stanął po stronie społecznego poczucia

sprawiedliwości, wbrew elitom. I politycznie to on miał znów rację.

Tyle że po pierwsze, Ćwiąkalski wiele razy ostrzegał, iż fakty wskazują, że sprawa Olewnika nie jest prosta i jednoznaczna, że ma też drugie dno, że sama rodzina zamordowanego wcale nie jest aż tak nieskazitelna. A politycznie nie przewidział również jednego: pamiętam, że po dymisji ministra nastąpił gigantyczny kryzys. W kancelarii panowała wybuchowa atmosfera. Tusk nie przewidział, że po takim ruchu nikt poważny nie przyjmie już teki szefa resortu sprawiedliwości. W środowisku nastał szok. Nagabywani profesorowie: Zbigniew Hołda, Andrzej Zoll, Jerzy Stępień, kolejno odmawiali. O swojej gotowości przypomniał, wykorzystując sytuację, Cezary Grabarczyk, ale premier na taki manewr się nie zgodził. I ponoć sam Stefan Niesiołowski przyszedł z pomysłem, by to jego przyjaciela Andrzeja Czumę uczynić ministrem. Donald pomyślał: czemu nie? To taki niezłomny, prawy człowiek, będzie platformianym szeryfem, a do tego całkowicie lojalnym. Tyle że nie znał go osobiście. Nikt z nas wtedy nie wiedział, jaki to ciężki kaliber osobowościowy.

Co pan ma na myśli?

Czuma to bardzo specyficzny człowiek. Szlachetny, ale spowolniony w reakcjach. A do tego na swój sposób pryncypialny. On dla celów politycznych nie zachowa się niezgodnie z własnym sumieniem. A do tego na wymiarze sprawiedliwości w ogóle się nie znał. Po jego powołaniu szybko zaczęli szukać kogoś nowego. I to Jerzy Buzek naciskał, by

Ministerstwo Sprawiedliwości powierzyć Krzysztofowi Kwiatkowskiemu, jego dawnemu asystentowi. Zresztą ten znalazł się w Senacie z list PO właśnie za sprawą Buzka, który postawił to jako warunek swojego przystąpienia do Platformy.

WOJNA O SAMOLOT

Na ile w trakcie prezydentury publiczny wizerunek Lecha Kaczyńskiego był autentyczny, a na ile efektem tego, jak wy go przedstawialiście? Bywało, że prowokowaliście go celowo?

Pewnie, że tak. To była walka, z dwóch stron zresztą. Słynna wojna o samolot, o pozycję prezydenta w Unii Europejskiej to była jedna wielka bitwa pełna świadomych prowokacji, obliczonych na to, by z jednej strony pokazać lub uwypuklić gorsze cechy charakteru Lecha Kaczyńskiego poprzez wyprowadzenie go z równowagi, a z drugiej strony, by rozszerzyć niekonstytucyjne prawa prezydenta. Prawdą jest, że premier na polu UE ma większe kompetencje, ale prawdą jest także to, że konstytucyjnie ten podział obowiązków nie był jasny. Zasadniczym celem Tuska i jego ekipy było faktyczne pomniejszenie roli Kaczyńskiego poprzez jego niedopuszczanie na europejskie fora. To publiczne poklepywanie go przez Donalda na szczycie europejskim w Brukseli było na przykład taką klasyczną zagrywką upupiającą Kaczyńskiego. Chodziło o to, by zrobił głupią minę, parsknął czy głupkowato prychnął. Prezydent czasem się dawał, ale czasem też sam wchodził w tę grę jako strona czynna. I to skutecznie, bo przynaj-

mniej kilkoma wypowiedziami udało mu się Tuska
wyprowadzić z równowagi.

**A jak było naprawdę z tym samolotem? Strona
rządowa dowodziła, że maszyny po prostu
nie ma do dyspozycji.**

Jasne, że to była tylko wymówka. Przecież
zawsze można dowieść, że samolot wymaga napra-
wy, przeglądu, jest pilnie potrzebny akurat drugiej
stronie. Uniemożliwienie lotu Kaczyńskiemu gdziekolwiek – to były konkretne zadania, jakie przed
swoimi ludźmi Tusk stawiał każdorazowo. Przeważ-
nie niewykonane, bo tamci okazywali się sprytniej-
si i na przykład naprędce czarterowali prezydentowi
samolot. Donald miał zresztą wielkie pretensje, że
jego ludzie nie są w stanie zablokować lotu. Najczęściej dostawało się za to szefowi MON-u Bogdanowi
Klichowi.

MAŁPKI PREZYDENTA

**Tak szczerze, skąd się wziął ten pana pomysł,
by w pewnym momencie atak na Lecha
Kaczyńskiego oprzeć na insynuacjach o jego
rzekomym problemie alkoholowym?
Atak uwieńczony słynnym show po zakupie
przez prezydencką kancelarię partii małpek.**

Akurat jeśli chodzi o same małpki, to za-
inspirowała mnie Monika Olejnik. W audycji „Śniadanie Radia Zet" przedstawiła kopie faktur na parę
tysięcy małych butelek różnego rodzaju alkoholu,
zakupionych przez Kancelarię Prezydenta. Jeszcze
tego samego dnia pojeździłem ze trzy godziny po

Lublinie, po znajomych szukając takich buteleczek, a następnie po południu zorganizowałem konferencję prasową, pokazując wszystkie zebrane buteleczki, aby zobrazować skalę tego zakupu. Jeśli zaś idzie w ogóle o sprawę nadużywania alkoholu przez Lecha Kaczyńskiego, to było to po prostu coś, co unosiło się w powietrzu. Cała Warszawa o tym huczała. Co i rusz ktoś mi coś na ten temat opowiadał. Drzewiecki ze Schetyną i Grasiem relacjonowali, jak to lecieli z prezydentem jednym samolotem z okazji jakiegoś wydarzenia sportowego i co tam się na pokładzie działo. Pijany Kaczyński miał ponoć rwać się do wyrzucania ich z samolotu. Krążyły opowieści BOR-owców, którzy nieraz ratowali sytuację, przebierając prezydenta. Były w końcu opowieści artystów, którzy mieli kontakt z głową państwa i też zwrócili uwagę, że ma on skłonność do alkoholu. Na korytarzach rozmawiali o tym również dziennikarze, snując opowieści o tym, jakoby jego częste wizyty w szpitalu były spowodowane terapią odtruwania. Tego typu informacje krążyły cały czas, temat był napędzany w Platformie. A że ja naprawdę jestem za pełną jawnością, jeśli chodzi o osoby sprawujące najważniejsze funkcje w państwie, a do tego nie mam oporów, i jeszcze wtedy akurat szukałem swojego miejsca w polityce, w PO, to zacząłem publicznie mówić na ten temat.

A nie zastanowiło pana, że jakoś nikt z tych opowiadaczy i gawędziarzy, również z PO, nie poruszył tego tematu publicznie? Że w takim razie to może tylko głupie plotki?

Wiedziałem, że nie robią tego, bo po prostu nie mają odwagi. Poza tym byłem już świadomy, że w polityce w ogóle strasznie dużo się pije, trudno zatem oczekiwać, by ktoś pierwszy rzucił kamieniem. Problem alkoholowy jest ponadpartyjny, dotyczy polityków wszystkich opcji. To jest problem posłanki Elżbiety Kruk z PiS-u, ale to był też przecież problem choćby byłego wiceministra zdrowia z PO Krzysztofa Grzegorka, który zasnął kompletnie pijany przed swoim pokojem w hotelu sejmowym.

Ale miał pan także źródło weryfikacji tych informacji. Lecha Kaczyńskiego znał dobrze Donald Tusk.

I on nie stawiał co prawda diagnozy, że prezydent ma problem alkoholowy, ale też opowiadał, że na spotkaniach negocjacyjnych z Lechem dużo wina się wypija. Proszę też zwrócić uwagę, że choć go znał, nigdy nie wystąpił w jego obronie, zaprzeczając moim sugestiom. Zresztą oni obaj na słynnym spotkaniu obalili cztery butelki [spotkanie miało miejsce w Belwederze przed wyborami parlamentarnymi w 2007 roku – przyp. red.]. To mało jak na kilka godzin?

Mało, aby sugerować, że ktoś jest alkoholikiem. Z tego samego powodu nie wysuwał pan takiego wniosku o Tusku. Jak za kulisami on i inni politycy Platformy reagowali na te pana insynuacje pod adresem Lecha Kaczyńskiego?

Cztery butelki to dużo!!! Koledzy na początku podchodzili do tych moich wystąpień trochę ze strachem, ale potem, kiedy zorientowali się, że to, niezależnie od moich pierwotnych intencji, ma swoje dobre strony polityczne, przynosi Platformie korzyści, to ożywili się i padały raczej zachęty, abym dalej szedł w tym kierunku. Samemu Tuskowi na przykład akcja z małpkami generalnie się podobała. Krytykował ją jedynie od strony technicznej. Uważał, że niepotrzebnie podczas tego happeningu sam w miejscu publicznym przechyliłem taką buteleczkę z alkoholem. Jego zdaniem to było naruszenie pewnego kodu kulturowego i przez to wprowadziło niepotrzebnie wątek łamania porządku publicznego przez posła. Ja jednak miałem inną opinię, uważałem, że to tylko wzmocniło przekaz. Małpki zresztą, jak się dziś okazuje, kiedy jeżdżę po Polsce, były moim najbardziej populistycznym, ludycznym eventem. Do tej pory ludzie za ten pomysł odnoszą się do mnie z sympatią.

Ale przecież nie sądzi pan na serio, że zakup małych buteleczek alkoholu dla takiej instytucji jak Kancelaria Prezydenta świadczy o problemie alkoholowym głowy państwa?
I tak, i nie, ale to był też element walki politycznej, a oni akurat nie potrafili tak naprawdę przekonująco wytłumaczyć tego zakupu. Gdyby byli mądrzejsi, przygotowaliby jakąś zgrabną ripostę, ale tak się nie stało. Zabrnęli w to. Interes społeczny nakazuje jednak żądać od polityków takich informacji. Nawiasem mówiąc, Lech Kaczyński miał mnie już chyba dosyć przed tymi małpkami. Wiem z opowieści, że kiedyś przy okazji jakiegoś spotkania zagadnął marszałka województwa lubel-

skiego Krzysztofa Grabczuka. „Ale panie marszałku, czego właściwie ten Palikot ode mnie chce?". Ten zaczął mu tłumaczyć: „Panie prezydencie, z Palikotem nie da się dogadać, co on ma robić, a czego nie".

Widzi pan, Lech Kaczyński po prostu miał do siebie dystans, a ponadto poczucie humoru.
Nigdy o byłym prezydencie nie mówiłem, że nie jest normalnym człowiekiem. Zawsze powtarzałem, że problemem jest Jarosław Kaczyński, że to jest monstrum. Lech został zdominowany przez brata i dlatego pił!

PRZEKAZY DNIA

Zdarzyło się panu kiedyś skorzystać z codziennych instrukcji dyktujących, co mówić w mediach, jakie rozsyłała do polityków PO kancelaria Donalda Tuska?
Nie, nigdy. Ja ich nawet nie dostawałem, bo wiadomo było, że ja zawsze i tak mówię, co chcę. A to były konkretne zdania, które powtarzane przez kilku polityków w mediach miały utrwalić jakiś pożądany przekaz. Nie było jednak tak, że wszyscy politycy PO mówili tymi gotowymi formułkami, na przykład Sikorski na pewno zawsze mówił własnymi słowami, a myślę, że i Niesiołowski „przekazów" nie potrzebował. Ja codziennie rano dostawałem z biura prasowego, nadzorowanego długo przez Rafała Grupińskiego, rozbudowane prasówki, a do tego często stanowiska partii w określonych sprawach. Ale w takiej formie opisowej.

Ale większość posłów te „przekazy" jednak dostawała, co zresztą było słychać. To była robota Igora Ostachowicza?

Wątpię, by te zdania instruktażowe pisał on, osobiście. Tworzył raczej bardziej rozbudowane analizy polityczne i do biura prasowego klubu PO przesyłał rekomendacje, które z nich wynikały. Na ich podstawie gdzieś na linii: Ostachowicz, Arabski, potem Graś i Grupiński (czy ta jego podopieczna z biura prasowego Edyta Mydłowska lub inny aktualny dyrektor) powstawały dopiero „przekazy dnia", które rzeczywiście dla wielu były obowiązującymi instrukcjami.

Skąd wziął się w ogóle pomysł na te „przekazy"?

Początkowo, w latach 2005 – 2006 Tusk ze Schetyną nie przywiązywali wagi do spójnego przekazu z partii. Pamiętam, że sam ich czasem dopytywałem, jakie jest stanowisko PO w konkretnej sprawie, a oni w odpowiedzi machali ręką: „Mów, co chcesz". Ale po wyborach w 2007 roku wielkość klubu, status partii rządzącej wymusiły na nich próbę zdyscyplinowania posłów. Chodziło głównie o tych z drugiego, trzeciego szeregu. I wymyślono „przekazy dnia".

Okazały się rzeczywiście skuteczne?

Nie, i dlatego stosunkowo szybko z nich zrezygnowali. Nieskuteczność „przekazów dnia" brała się głównie z tego, że to jednak przede wszystkim media wybierają sobie rozmówców, i to najchętniej tych najbarwniejszych, mówiących własnym językiem.

Choć czasem swoją drogą są to dla mnie wybory zaskakujące. Na przykład popularność Julii Pitery zawsze mnie dziwiła, bo ona ani barwna, ani atrakcyjna pod względem informacyjnym. Być może w tym przypadku jednak wpływ miała presja władz, którym chodziło o to, by w TV jak najczęściej pojawiał się podpis z nazwiskiem minister do spraw korupcji, dla przypomnienia, że takowy w rządzie istnieje. Czasem bywa też tak, że media po prostu zwracają się do klubu, by wydelegował do audycji jakiegoś przedstawiciela. I na tym tle w klubie PO dochodziło do dzikich awantur. Trwała zacięta walka o to, by znaleźć się w tym gronie dyżurnych medialnych dyskutantów. Na posiedzeniach prowadzone były swoiste bitwy. Pamiętam na przykład taką jedną, kiedy raz po raz wstawali posłowie, głównie kobiety, z pretensjami, dlaczego to Gronkiewicz-Waltz ciągle przesiaduje w telewizji i radiu. Potem władze klubu spacyfikowały nieco tę walkę, organizując cały system szkoleń, na których uczono, jak samodzielnie radzić sobie w mediach, jak mówić, jak dobrze wypaść.

USTAWA MEDIALNA

Platforma rzeczywiście chciała oddać media publiczne w ręce twórców? Czy był jakiś plan skoku na media?

Początkowo Tusk był autentycznie przekonany, że każdy, kto bierze media publiczne, pakuje się w kłopoty, bo zaczyna być postrzegany jako ten, kto próbuje manipulować ludźmi. Uważał, że to negatywnie wpłynie na postrzeganie Platformy, która na skutek nieuniknionych prób układania się z SLD utraci swoją czystość. Skok na media publiczne – rozumował – rozczaruje elity i na końcu Platforma i on sam staną w obliczu ostrej krytyki „Gazety Wyborczej", Aleksandra Smolara i wszystkich świętych. Pamiętam taką rozmowę Donalda z Bieleckim. „Daj to twórcom, niech sobie sami zrobią ustawę" – radził Tuskowi. To było bardzo dobre rozwiązanie: w ten sposób właśnie pozbywa się odpowiedzialności za media publiczne i jednocześnie ma się w zarodku spacyfikowaną krytykę, która z pewnością by się pojawiła.

Jednak choć projekt twórców powstał, Platforma do dziś nie przeprowadziła go w Sejmie. W zamian została przeprowadzona mała nowelizacja, która praktycznie miała na celu tylko odbicie mediów z rąk PiS-u.

Bo decyzja o oddaniu tego twórcom była podjęta z całkowitym cynizmem. Założenie było takie, że oni tego po prostu nie przygotują, i tak jakoś to będzie trwać. „No tak, chcecie się babrać w tym gównie, to proszę. Oni się tym zajmą, by następnie podzielić się między sobą, Holland pokłóci się z Wajdą, wkroczy następny mądry i to się rozleci. A my, jakby co, będziemy mogli powiedzieć: przecież daliśmy wam szansę, żebyście zrobili niepartyjną telewizję. No i co? I tak będziemy mieli wolną rękę" – kalkulował Tusk. Brał pod uwagę, że być może kiedy już jasne będzie, że twórcy się poprztykali i nic z tego nie wyjdzie, do gry będzie musiała wkroczyć Platforma. Ale podkreślał, że dla nas najlepiej byłoby, gdybyśmy jedynie pozorowali działania i do wyborów jednak nic nie zmieniali. O mojej propozycji, by do tematu podejść biznesowo i wprowadzić grantowy charakter misyjności, słyszeć nie chciał. Choć właśnie rozwiązanie, w którym każda telewizja mogłaby się ubiegać o grant na programy misyjne, jest jedyną tak naprawdę próbą odpartyjnienia mediów publicznych, przy zachowaniu oczywiście w tych mediach pakietu kontrolnego skarbu państwa.

Kalkulacje, że twórcy poróżnią się między sobą, sprawdziły się?

Tak. Graś donosił co i rusz, że a to dzwonił Jacek Żakowski, a to kto inny. Tusk uśmiechał się tylko, mówiąc, żeby odsyłać ich do Śledzińskiej-Katarasińskiej, która była szefową sejmowej komisji kultury i środków przekazu, albo do Zdrojewskiego. „Mamy ministra, to niech się z nimi wozi" – kpił. To była klasyczna spychologia.

Ale pojawiały się też w Platformie inne koncepcje rozwiązania problemu mediów publicznych, w tym częściowa ich prywatyzacja.

Tak, w tym kierunku szedł Bogdan Zdrojewski jako minister kultury. O prywatyzacji drugiego kanału Telewizji Polskiej mówił Rafał Grupiński. Ale zostali oni natychmiast spacyfikowani przez Tuska. Donald powtarzał, że przy takich manewrach zawsze pojawi się ktoś, kto będzie chciał kręcić lody, media są w tym temacie przeczulone i efekt będzie taki, że nigdy się z tego nie wytłumaczymy, lepiej więc po prostu trzymać się od mediów publicznych z daleka.

Ale coś tu się nie zgadza, bo była jednak wcześniej, zanim pojawił się pomysł projektu twórców, próba dogadania się z lewicą. Rozmowy, i to nawet podobno z sukcesem, prowadził ówczesny szef klubu PO Zbigniew Chlebowski.

Tak, podjęcie tych rozmów to była nawet decyzja samego Tuska, ale cały czas przy założeniu, że nic z tego nie wyjdzie. W każdej sytuacji, kiedy tylko blisko już było zapłacenia ceny politycznej, Donald mógł jednak wyjść i walnąć pięścią w stół, zrywając te niemoralne negocjacje i wychodząc jako ten dobry. Tak też się zresztą stało.

Ale jednak weszliście do mediów publicznych.

Wbrew założeniu Tuska, że przejęcie mediów publicznych przynosi same straty, okazało się, że SLD na dobre – oczywiście również dzięki kalkulacjom Kaczyńskiego – się w nich rozgościł i na skutek tego jednak umocnił, a nie osłabił. Po wyborach prezydenckich Tusk uznał, że sytuacja nie jest taka różowa: jeśli Sojusz dłużej zostanie pozostawiony samemu sobie w roli głównego beneficjenta, to zapłaci za to Platforma w wyborach parlamentarnych. Przede wszystkim jednak w stronę mediów publicznych pchał obóz prezydencki. Przez Komorowskiego grać chciał także Schetyna, który miał na nie ochotę. Szczególnie naciskali jednak cyngle Bronka: jego przyjaciel Jan Dworak i były dziennikarz Krzysztof Luft. Wiem, bo sam na prośbę Komorowskiego rozmawiałem z SLD o porozumieniu, i z Markiem Wikińskim, i z Leszkiem Millerem, ale nie z samym Napieralskim. Nasza propozycja była taka: by poparli naszą nowelizację w zamian za jedno miejsce w Krajowej Radzie Radiofonii i Telewizji. Oni jednak uparcie domagali się dwóch stołków. I ostatecznie Komorowski pod wpływem silnej presji ze strony swoich zauszników, którzy bardzo chcieli wrócić, na to poszedł. Sytuacja była rzeczywiście niełatwa, bo Sojusz Lewicy miał też oferty od PiS-u dotyczące kolejnego porozumienia, ale ja jestem przekonany, że gdyby prezydent wytrzymał i odczekał, stanęłoby na jednym miejscu dla lewicy.

Koniec końców dziś tak naprawdę, wbrew szumnym zapowiedziom, Platforma w temacie mediów publicznych w niczym nie odbiega od swoich poprzedników.

W niczym, to prawda. Przy czym należy jednak pamiętać, że głównym ośrodkiem rozgrywającym w tej grze był jednak Komorowski, a nie Tusk. Rzecz jasna, bez cichego przyzwolenia ze strony Donalda byłoby to niemożliwe. I tak jak zwykle sam premier wyszedł z tego z czystymi rękoma. Po pierwsze, to nie on prowadził negocjacje, jego jakby tam w ogóle nie ma. Po drugie, proszę pamiętać, że wcześniej się zabezpieczył, budując sytuację: my nie chcemy, ale musimy. Jakież to dla niego charakterystyczne! A dziś ustawa twórców jest w Sejmie. Przechowują ją celowo, na wypadek gdyby gazety nagle w kampanii znów przypomniały sobie o mediach publicznych. Wtedy projekt zostanie odblokowany, żeby nikt nie mówił, iż PO nie dotrzymuje obietnic czy się publicznymi mediami na poważnie nie zajmuje.

AFERA HAZARDOWA

Przed publikacją stenogramów z rozmów „Zbycha" i „Mira" były w klubie jakieś sygnały, że nadciąga burza?

Nie, przynajmniej do mnie nic nie dotarło. Byłem wtedy na objeździe wakacyjnym we Włoszech. Może Tusk wiedział o tej publikacji, ale nawet jeśli, to musiało się to rozgrywać w bardzo małym gronie.

A po publikacji rzeczywiście mieliście wrażenie, że to może nawet zmieść rząd?

Tak, po powrocie od razu dało się wyczuć, że sytuacja jest superpoważna, nadzwyczajna. I Tusk od razu miał świadomość, że jedynym ratunkiem jest pozbycie się tych, którzy mogą mieć coś na sumieniu. Rozpoczęły się szybkie konsultacje, jak głęboko mają iść te cięcia. Wezwał m.in. mnie i Gowina, jako liderów przeciwstawnych skrzydeł w PO. W czasie rozmowy padały krótkie, konkretne pytania o kolejne nazwiska. „Usunąłbyś Grześka?" – spytał na przykład. Ale nad Schetyną zastanawiał się najdłużej. Mocno naciskali na jego wyrzucenie szczególnie Bielecki z Grabarczykiem. Donald obawiał się, czy to nie będzie cios, za który przyjdzie mu potem zapłacić, kiedy Grzegorz postanowi się zemścić. Ja jednak byłem także wśród tych, którzy rekomendowali mu mocne cięcia. Uważałem, jak wielu, że tylko takie oczyszczenie daje szansę na opanowanie sytuacji. Ostatecznie Schetyna zgodził się sam odejść, ale zażądał, by razem z nim wyleciał Nowak. Tego nie było początkowo na liście, jego odejście było niejako zasłoną dymną dla odejścia Grzegorza. Ode mnie i od Gowina Donald chciał się też dowiedzieć, czy jeśli Schetyna zacznie w Sejmie budować swój obóz, to czy znajdzie w nas sojuszników. W ten sposób nastąpiłby kryzys całej Platformy, partia mogłaby się wymknąć spod kontroli Tuska.

Trudno się nie domyślić, że akurat pana chyba mógł być pewien, zważywszy na wasze relacje ze Schetyną?

Tak, w moim przypadku odpowiedź była oczywista, chodziło mu pewnie o utwierdzenie się w swoim stanowisku i uprzedzenie, że Schetynę trzeba będzie mieć na oku. Ale Gowinowi nie mógł ufać. I zresztą okazało się, że słusznie: ten natychmiast zaczął grać z Grzegorzem.

A opierając się tylko na stenogramach, obiektywnie: była afera czy nie?

Warto dziś zacytować Arłukowicza; „W PO istniał układ mafijny!". Kiedy to mówił, nie był jeszcze ministrem w rządzie Tuska, tylko członkiem komisji! Afera była, dojrzewała! On oczywiście wówczas przesadził, choć sprawa mogła takich cech nabrać. Tylko Mariusz Kamiński ją zepsuł, bo za wcześnie ruszył i przez to zatrzymał proces. Afera była, jak najbardziej, tylko wcale nie polegała, jak się powszechnie przyjęło, na rozmowach Chlebowskiego z tymi lobbystami. Zbyszek moim zdaniem był po prostu naprawdę zupełnie nieasertywny i dał się uwikłać. Proszę pamiętać, że przecież Chlebowskiego z Ryszardem Sobiesiakiem poznał

Schetyna. Dlatego też zresztą Grzegorz nigdy się nie odciął od Mirka, publicznie do dziś mówi o nim ostrożnie. Schetyna niszczący Drzewieckiego to bowiem Schetyna podpalający pod siebie bombę atomową. Mirek to wspólnik Grzegorza. Moim zdaniem te rozmowy musiały się toczyć, jeśli nie z inicjatywy, to za zgodą Schetyny. Tu nie ma dla mnie najmniejszej wątpliwości, oni z Drzewieckim byli zbyt zżyci, spotykali się codziennie, często po kilka godzin. Inną kwestią jest to, na jakim etapie faktycznie była ta sprawa.

Ale jaka sprawa? Skoro nie rozmowy Chlebowskiego są tu kluczowe, to na czym pana zdaniem polegała ta afera?

Przede wszystkim na decyzji o odlesieniu terenów pod wyciąg narciarski w Zieleńcu dla Sobiesiaka.

Kto to faktycznie załatwił?

Do końca nie wiem. Podobno cień padał na wiceministra środowiska, człowieka Schetyny, Stanisława Gawłowskiego. Wiem, że Tusk ten trop sprawdzał. Zresztą pewnie nie przypadkiem minister, kiedy pojawił się wakat, nie został szefem resortu środowiska, choć wydawał się teoretycznie murowanym kandydatem. Po drugie zaś, afera hazardowa to jednak przede wszystkim decyzja Mirka Drzewieckiego o rezygnacji z dopłat do automatów, które wprowadzono do nowelizacji ustawy specjalnie po to, by pieniądze poszły na EURO 2012. To niestety Mirek jest najbardziej uwikłany w tę aferę, choć formalnie nic nie stwierdzono.

Ale można było odnieść wrażenie, że akurat w stosunku do niego premier podchodził dość delikatnie. Poczekał cierpliwie, aż minister sportu sam poda się do dymisji.

Bo w jego przypadku nie chodzi tylko o autentyczną przyjaźń, jaka ich łączyła, ale też o wiedzę, jaką Drzewiecki posiada. Żaden szef partii sam nie usuwa skarbnika, zwłaszcza takiego, który prowadził finanse, kiedy partia jeszcze nie otrzymywała dotacji. Ale naciskał, by podał się do dymisji. Przez długi czas Donald na hasło „Drzewiecki" zaczynał kląć. „Jak mogliście mi to zrobić, tyle razy wam mówiłem, żeby nie załatwiać żadnych interesów" – wściekał się w tamtych dniach. „Mirek, przecież powtarzałem ci, że dostałeś gigantyczny podarunek w postaci tych Orlików, mogłeś tylko dzięki nim znaleźć się w encyklopedii, i zjebałeś to dokumentnie, nienawidzę cię!" – wykrzykiwał do ministra sportu. „Muszę was wywalić, siebie już zniszczyliście, zaraz zniszczycie cały projekt i mnie" – tłumaczył wszystkim. Tusk rzeczywiście był w trudnej sytuacji. Widać było, że nie wiedział po prostu, do jakiego stopnia go oszukują. Czego jeszcze mu nie powiedzieli? W tamtych dniach nie mógł być pewien, czy nagle nie okaże się, że CBA ma coś jeszcze. Tym bardziej że Schetyna zarzekał mu się, że nie widział się z Ryszardem Sobiesiakiem od dłuższego czasu, a potem prasa ujawniła, że w tym newralgicznym czasie doszło jednak do tego spotkania na lotnisku. Sądzę, że od tamtego momentu Donald już nigdy mu nie zaufa.

Drzewiecki podał się ostatecznie do dymisji, ale z jego późniejszych publicznych wypowiedzi wynika, że nie ma sobie nic do zarzucenia.

On był tą dymisją niesamowicie urażony. Miał ogromne poczucie krzywdy, niesprawiedliwości, zawodu ze strony Tuska. Zachowywał się jak zranione zwierzę: non stop pił, płakał i wykrzykiwał niesamowite rzeczy. Odgrażał się, że wykończy, zmasakruje, wsadzi Tuska do więzienia. „To, ja mu, k..., to i tamto załatwiałem, to ja mu przynosiłem pieniądze walizkami, a to sukinsyn. On mnie wywala a ja go, k..., ubierałem, poiłem winem" – tego typu godzinne bluzgi odchodziły. Już długo potem, kiedy wrócił z USA, gdy Tusk dzwonił, to mówił do kogoś obok: „Powiedz mu, że ja teraz jestem zajęty". Więź między nim a Donaldem została zupełnie zerwana. Ale też premier intuicyjnie wyczuwa, że właśnie jego musi ratować. I jestem przekonany, że wcześniej czy później jakąś kładkę mu zbuduje: czy to będzie kierownictwo Polskiego Związku Piłki Nożnej, czy nie, ale coś dostanie. Zresztą już przecież wszyscy zostali przez prokuraturę uniewinnieni. Nie ma wątpliwości, że to nie przypadek. To jest czysta polityka.

Myśli pan, że Drzewiecki ma rzeczywiście aż taką wiedzę, że mógłby pogrążyć Tuska?

Jestem przekonany, że tak. Chodzi o finansowanie PO przed 2005 rokiem, a szczególnie o organizowanie pierwszych pieniędzy. Inna sprawa, że wtedy był w amoku, faktycznie by tej wiedzy nie wykorzystał nigdy.

Po dymisjach pojawiły się postulaty o powołanie komisji śledczej. Ale Platforma nie tak od razu się na nią zgodziła.

W pierwszym odruchu sam Tusk był na „nie". Szybko jednak doszedł do wniosku, ucząc się na błędach Millera przy aferze Rywina, że właśnie tak musi zareagować. Zresztą osobiście nie miał nic do stracenia, wiedział, że sam nie ma z tym nic wspolnego, że w najgorszym przypadku polegną Schetyna, Drzewiecki, ale nie pociągną go za sobą, bo to właśnie on ich zdymisjonował, więc nawet gdy wyjdzie coś nieprzyjemnego, to on będzie tym, który pierwszy ruszył, by wyczyścić sprawę. Niezgodą na komisję zaś ustawiłby się w jednym szeregu z bohaterami afery. Grzegorz i inni bardzo oponowali. Przekonywali Donalda, że komisja może pogrążyć całą Platformę. To była decyzja „ugniatana" w domu poselskim przez długie wieczory.

A kto wymyślił, żeby na czele tej komisji postawić akurat Mirosława Sekułę?

To już sam Schetyna. Deal bowiem był taki: komisja powstaje, ale Donald daje Grzegorzowi wolną rękę, jeśli chodzi o szczegóły; może rozgrywać ją, jak chce. A w domyśle było: jak się sam wybronisz, będziesz żył, jak opinia publiczna cię skaże, giniesz.

Ale czemu akurat padło na Sekułę?

On był wcześniej szefem Najwyższej Izby Kontroli. A zatem wiadomo było, że musiał się już wykazać wysokim poziomem oportunizmu. Szef NIK-u faktycznie nie może działać bez układów z władzą. Sekuła więc był znany jako taki właśnie urzędnik, oportunista. A jednocześnie łatwo go było, też jako byłego szefa tej instytucji, wykreować na człowieka nieskazitelnego, uczciwego. Opinia publiczna bowiem inaczej wyobraża sobie kogoś, kto stoi na czele takiego urzędu. Sądzi, że to musi być człowiek pryncypialny, z twardym kręgosłupem, ktoś, kto kontroluje władzę. Wybór Sekuły budował wiarygodność, miał dawać ludziom przeświadczenie, że Platforma naprawdę bezstronnie chce tę sprawę wyjaśnić. A Sekuła od początku miał obiecane, że w zamian za wzięcie tej komisji zostanie kandydatem PO na prezydenta Zabrza.

A pan go znał wcześniej?

Był moim zastępcą w sejmowej komisji Przyjazne Państwo. Kompetentny w tym sensie, że zna świetnie wszystkie ustawy, ale strasznie zachowawczy, ucieka, jak może, przed podjęciem decyzji, które mogłyby go skonfliktować z jakimś ministrem. Poza tym nudny jak flaki z olejem. No i naiwny, jak się okazało. Nie rozumiał, że emocje ludzi były rozdane już w momencie, kiedy on zostawał szefem tej komisji, że niezależnie już od tego, co zrobi, jest skazany na rolę obrońcy zła.

Ale próbował sam się bronić przed tą rolą? Był rzeczywiście samodzielny, jak przekonywali w Platformie?

Gdzie tam! To był od początku do końca proces prowadzony przez Schetynę. Narady odbywały się niemal codziennie. Wszystko było szczegółowo omawiane i ustalane. Zachowana była wyjątkowa poufałość. Grzegorz współdziałał tak naprawdę tylko z Grupińskim i ze swoim zaufanym PR-owcem. A Sekuła wykonywał wszystkie polecenia. I muszę przyznać, że Schetyna nie zmarnował tej szansy. Rozegrał to po mistrzowsku, z ogromnym talentem.

Ale inaczej niż w przypadku Drzewieckiego, od Chlebowskiego Schetyna dystansował się publicznie.
Ale też proszę zauważyć, że nie w sposób brutalny. To był element strategii. W rzeczywistości z Chlebowskim też się spotykał. Bał się zresztą, że ten nie wytrzyma tego psychicznie. Przed przesłuchaniem załatwił mu szkolenie. W tej pomocy niekoniecznie musiało chodzić o strach, że Zbyszek coś na niego sypnie, ale o to, że Grzegorz po prostu niemal oficjalnie został przez Tuska wyznaczony jako odpowiedzialny za wizerunek polityczny tej komisji, tej sprawy. Gdyby Chlebowski poległ, wyszłoby też, że Schetyna sobie nie poradził.

A sam Tusk bał się Kamińskiego?
Na początku przeżył moment paniki. Obawiał się, tak jak wielu zresztą, czy nie mają czegoś zmontowanego, co rzuciłoby cień i na niego. Nie ma wątpliwości, że premier w tej sprawie jest zupełnie czysty. Wystarczyło jednak, żeby Chlebowski, znany z blefowania, powiedział w tych stenogramach, że rozmawiał też z Donaldem, i byłoby bardzo ciężko. Dlatego Tusk wiele razy go pytał: „Czy powoływałeś się na mnie?". Okazało się jednak, że poza tym, co odpalił na początku, Kamiński niczego więcej nie miał. To zresztą błąd szefa CBA, że się pospieszył i nie wyhodował tej sprawy do końca. Mógł spokojnie poczekać, bo Donald naprawdę nie miał zamiaru go odwoływać.

A po ukazaniu się tych stenogramów pojawił się ostracyzm wobec Chlebowskiego czy Drzewieckiego? Czy raczej górę wzięła solidarność z kolegami?

Chlebowskiego dopadła klątwa. To było niesamowite, w ciągu jednego dnia wszyscy się od niego odwrócili. Jeszcze dzień wcześniej przed jego gabinetem ustawiała się kolejka chętnych, by coś załatwić, po czym wszyscy przestali go zauważać. Z Mirkiem było inaczej. Panowała raczej opinia, że przecież to taki fajny facet, po co on się w to zaangażował. Nie było potępienia. Wszyscy w PO, w tym i ja zresztą, byli i są przekonani, że Drzewiecki nie robił tego dla jakichś własnych korzyści, tylko na zasadzie chorych związków towarzyskich. Tyle że ja uważałem od początku, że nawet mimo to, uwikłanie się w taki układ było skandalem. I jako właściwie jedyny pozwoliłem sobie na publiczną, mocniejszą krytykę również Drzewieckiego, za co w klubie mieli do mnie straszne pretensje.

WYRZUCANIE PALIKOTA

Dlaczego Donald Tusk sam ostatecznie nigdy się nie zdecydował wyrzucić pana z Platformy, choć wciąż był o to nagabywany?

Również dlatego, że chyba zwyczajnie mnie lubił.

Gdzie jest miejsce na sympatię w zachowaniu twardego, brutalnego człowieka, jak opisuje pan Tuska?

Nie twierdzę, że ta sympatia była tak duża, że Tusk pod żadnym pozorem nie wyrzuciłby mnie sam. Mówię tylko, że była między nami jakaś nić porozumienia dotycząca oglądu świata. Choć z pewnością dla mnie to miało większe znaczenie niż dla niego. Niemniej widywaliśmy się regularnie co tydzień, góra dwa tygodnie. U niego w moim przypadku, jak w każdym zresztą, górę brała wyrachowana kalkulacja polityczna.

I co, suma zysków wychodziła mu zawsze większa od strat?
Dokładnie. Gdybym to ja był sprawcą czy bohaterem takiej afery jak hazardowa, wyrzuciłby mnie bez zmrużenia oka. Ale proszę pamiętać, że w moim przypadku to była tak naprawdę potyczka o słowa, które elektorat Platformy różnie odbierał: jedni może byli zniesmaczeni, ale inni mi kibicowali. Dlatego on za każdym razem, kiedy rozpętała się burza, niejako sprawdzał, jakie są proporcje: kluczył, niby groził, czasem niby już karał, ale tak, żeby nic z tego nie wyszło. Jak przychodziło do posiedzenia zarządu, to mnie bronił, powtarzając, że mimo wszystkich kontrowersji, PO per saldo na mojej obecności wychodzi dobrze. Niektórzy, jak taki Tomczykiewicz, który nic nie łapie, byli zaskoczeni. A do mnie Donald rzucał potem pół żartem, że sam już dawno by mnie wyrzucił, ale rodzina stawia weto, że ilekroć jedzie do domu, to siostra, teść, kuzyni mówią, żeby dał mi spokój.

I nigdy realnie się na pana nie zdenerwował? Nigdy nie było sytuacji blisko końca?

Raz, po mojej wypowiedzi o tym, że Grażyna Gęsicka zachowuje się jak polityczna prostytutka. Zostałem wezwany przez Grasia na posiedzenie zarządu. Bezwzględność Tuska wtedy mnie autentycznie zmroziła. Choć byłem obecny, nie mówił do mnie. Nawet nie spojrzał. Człowiek, z którym tyle razy piłem wino, nagle traktując mnie jak powietrze, zwracając się do ogółu, mówił beznamiętnie: „Janusz już poszedł swoją własną drogą, postanowił robić swój projekt polityczny i trzeba podjąć decyzję, żeby popsuć mu jego plany". To były absurdalne i druzgocące dla mnie słowa. Niezależnie od tego, że być może w ocenie skutków tamtej konferencji prasowej się pomyliłem, wszyscy byli świadomi, że nie miałem intencji działania przeciw PO. Jednak po tych słowach Tuska reszta rozpoczęła mechanizm egzekucji mojej osoby. Wściekły, żeby nie dawać im satysfakcji, wyszedłem. Wybiegł za mną Graś, żeby sprawdzić, co powiem dziennikarzom.

Ale i wtedy ostatecznie pana nie usunął. Dlaczego?

Nie, bo twardo postawił się Komorowski, szantażując wręcz, że beze mnie on sam też nie wyobraża sobie Platformy. Ale Donald swoje przedstawienie zagrał świetnie.

Zrozumiał pan wtedy, że jest tylko kolejnym narzędziem w jego ręku?

Wtedy bardzo mocno uświadomiłem sobie tę jego brutalność. Wcześniej to wielu innych, Komorowski czy Krzysztof Cugowski, zwracali mi uwagę, jak protekcjonalnie Donald traktuje wszystkich, w tym i mnie. Ale brałem te opinie trochę przez palce. W końcu mówił to także zawsze niedowartościowany celebryta. Dopiero tamtego dnia zrozumiałem, że Cugowski miał rację.

I już wtedy postanowił pan sam się wynieść z PO na kontrze do Tuska?
Myśl o tym powoli zaczęła we mnie dojrzewać. A na decyzję nałożyło się kilka czynników. Utrata zaufania do Donalda miała z pewnością znaczenie. Ale dostrzegłem też, jak wielkim jest on koniunkturalistą. I że przed wyzwaniami zawsze dezerteruje.

PRAWYBORY PREZYDENCKIE 2010

Festiwal partyjnej demokracji, jak przekonywaliście, czy fikcja, bardziej propagandowa zabawa? Czym realnie były prawybory kandydatów na prezydenta Platformy?
Jeżeli chodzi o system głosowania, to fikcja. System, jaki zastosowano, faktycznie nie był w stanie zweryfikować wyników. Nie twierdzę, że ktoś je zmanipulował. Ale to był system technicznie niesprawny.

Jak się pojawił pomysł prawyborów? Po co były one Tuskowi?
Pierwszy rzuciłem ten pomysł akurat ja. Potem podchwycili go inni, a Tusk zaakceptował. Odpowiadało mu to, bo to był świetny chwyt marketingowy, niezależnie nawet od tego, że nikt nie mógł przewidzieć, iż wydarzy się katastrofa i wybory będą przyspieszone oraz zupełnie inne. Prawybory pozwoliły nam przez dwa miesiące skoncen-

trować uwagę ludzi wyłącznie na kandydaturach PO. I oczywiście dawały takie wytchnienie, przestrzeń Donaldowi. Media zajmowały się w tym czasie głównie tym tematem.

Na kogo głosował Tusk? Na Komorowskiego czy Sikorskiego?

Mnie powiedział: „Wiesz, nie ma wątpliwości, że obu odbije, ale wydaje mi się, że Komorowskiemu jednak mniej".

To skąd plotki, że jednak kibicuje Sikorskiemu?

Ponieważ cała partia już na początku ustawiła się za Komorowskim, to Donald taktycznie wsparł trochę Sikorskiego, żeby nie wyszło właśnie, że to fikcja, że jeden z kandydatów jest fikcyjny. Niewykluczone, że znaczenie miało też to, że nie chciał tak naprawdę, by kandydat PO został prezydentem. Sikorski był lepszy, bo wówczas w powszechnym mniemaniu w wyborach prezydenckich miał mniejsze szanse. Dla Tuska Jarosław Kaczyński jako prezydent to była stuprocentowa gwarancja, że PO wygra wybory parlamentarne!

A była jakakolwiek szansa, realne ryzyko, że Sikorski jednak wygra prawybory?

Grabarczyk cały czas się wahał. Gdyby ktoś podpowiedział Sikorskiemu ułożenie się z nim, to może...

KATASTROFA SMOLEŃSKA

Jaka była pierwsza myśl Janusza Palikota w zderzeniu z informacją o katastrofie

prezydenckiego samolotu m.in. z Lechem Kaczyńskim na pokładzie?

Tego dnia byłem w Lublinie. Do żony i dzieci, którzy przebywali już na Suwalszczyźnie, miałem dołączyć dopiero następnego dnia, bo zatrzymał mnie zjazd lubelskiej PO w związku z wyborem władz regionalnych partii. Trwała walka Schetyny z moją osobą. Obudziłem się więc w sobotę 10 kwietnia, zajrzałem do telefonu, a tam SMS od Krzysztofa Stachowicza, działacza Platformy z Dąbrowej Górniczej, bliskiego współpracownika Grzegorza Dolniaka. Pisał, że żona Dolniaka nie może się do niego dodzwonić, a ponoć samolot, którym leciał, miał jakieś problemy przy lądowaniu. I pytał, czy mogę sprawdzić, co się dzieje. Traf chciał, że dzień wcześniej miałem fajną telefoniczną rozmowę z Radkiem Sikorskim. Ten zadzwonił w piątek, wracając samolotem z jakiejś wizyty zagranicznej i będąc po lekturze książki „Ja, Palikot", którą mu dałem kilka dni wcześniej. Ukazała się na moje nieszczęście właśnie tuż przed katastrofą. Sikorski chciał powiedzieć, że bardzo spodobały mu się niektóre fragmenty. Przeczytawszy je na głos, powiedział mi, że mimo tych dawnych różnic między nami wznosi za mnie toast. Kiedy więc w sobotę dostałem tego SMS-a, odruchowo wykręciłem właśnie do Radka. „Wszyscy nie żyją" – powiedział. To było może pięć – siedem minut przed tym, jak tę informację podali w mediach. Z wrażenia tak jak stałem w samym slipkach, usiadłem na desce klozetowej. „Jak to nie żyją?" – zapytałem osłupiały. A on powtórzył: „Wszyscy nie żyją, przekazałem to już Jarosławowi Kaczyńskiemu. Premier z prezydentem też są już poinformowani". I zapadła cisza. Po czym ja wydusiłem z siebie: „To jakieś fatum niesamowite". On na to: „No, fatum". I na tym skończyliśmy.

Zrozumiał pan od razu, że musi się ukryć?

Najpierw zadzwoniłem do żony, która długo myślała, że sobie żartuje. Następnie odwołałem wszystkie spotkania i powiedziałem, że wyjeżdżam do rodziny przemyśleć to wszystko. Trzy dni później zadzwoniłem do Grasia i Ostachowicza. Przekaz od nich był jeden – zero mediów. Obaj zgodnie radzili: „Musisz zniknąć, bo staniesz się teraz kozłem ofiarnym, będzie totalna napieprzanka w ciebie". I rzeczywiście, było to niesamowite, jak widziałem tych, którzy wykorzystują sytuację, aby mi dowalić. Także dziennikarze.

Radzili czy kazali?

Radzili! Jeśli pani myśli, że oni mogli mi coś kazać, to jest pani w dużym błędzie. Byłem autentycznie w szoku, ale wszyscy radzili, żeby zniknąć.

Rozmawiał pan z Tuskiem przez te pierwsze tygodnie po katastrofie?

Nie, tylko z Grasiem. No i z Bronkiem oczywiście. On też mówił, że powinienem zniknąć. Nie pokazywałem się w ogóle publicznie. I tak minął może miesiąc. Któregoś dnia w końcu sam Paweł zadzwonił i powiedział, żebym wpadł do kancelarii. Kiedy się zdecydowałem, on z kolei nie odbierał telefonu, więc sam wpadłem do Kancelarii Prezesa Rady Ministrów. To był przełom kwietnia i maja, raczej koniec kwietnia. Niespodziewanie zaszedłem do gabinetu premiera, bocznym wejściem. Na mój widok Tusk zdębiał. Twarz mu stężała. „Co on tu robi?" – burknął do Grasia. Po czym zaczął uciekać. To był strasznie śmieszny widok. I tragiczny zarazem. Paweł stał jak osłupiały, nie wiedząc, co robić.

I zrozumiał pan, że jest już persona non grata w tym towarzystwie?
            Ale wcale nie byłem! Tylko chwilowo dla Tuska. Minął tydzień od tamtego wydarzenia i doszło do mojego spotkania z Grasiem i Ostachowiczem. To była taka bieżąca narada o sytuacji wokół Bronka. Wtedy zapowiedziałem im, że zamierzam się pokazać, gdy Bronek będzie na Lubelszczyźnie. Że zakładając nowe okulary, mam zamiar w nowej postaci powrócić do życia publicznego. Ironizując również z przebrania Kaczyńskiego. Co raz więcej ludzi widziało bowiem, jak prezes PiS-u gra tragedią. Ostachowicz twierdził, że to za wcześnie, że powinienem jeszcze odczekać, aż wszystko się ułoży, przycichnie. Ja jednak wychodziłem z założenia, że jeśli dłużej będę czekał, to przyklei się do mnie na dobre miano tego odpowiedzialnego za katastrofę. I tak jak zaplanowałem, akcję przeprowadziłem. W ten sposób wróciłem w pełni do obiegu. I znów zostałem zaproszony przez Tuska do kancelarii. Pamiętam dobrze tę posiadówkę. Słuchaliśmy muzyki Tadeusza Nalepy, piliśmy wino. Tusk powiedział, że ten numer z okularami był genialny. „To było najlepsze, co od dwudziestu lat się wydarzyło w kategorii chwytu politycznego" – zachwalał

i dopytywał, czy sam to wymyśliłem. Taki mieli do tego stosunek.

A panu naprawdę po tej katastrofie ani przez chwilę nie przeszła myśl: jestem skończony, czas się pakować?

Nie! Od początku wierzyłem, że się z tego wydobędę. Jestem potwornym optymistą. I to mnie do dziś trzyma. Po za tym to przecież Lech Kaczyński jest jednym z odpowiedzialnych za tę katastrofę.

Ale co pana wtedy trzymało przy nadziei?

Wiara w siebie, w prawdę, ale też w marketing, w PR.

Ale przecież musiał pan zakładać, choćby znając już dobrze Tuska, że może być tak, iż Platforma skreśli pana już na dobre, i z dnia na dzień ludzie przestaną się do pana przyznawać?

Rzeczywiście to mogłoby się tak potoczyć, po pierwsze, gdybym ja sam sobie nie umiał pomóc, gdybym sam tego tak dobrze nie rozegrał. W tym rzeczywiście nikt mi nie pomógł. Do tego doszedł absolutnie szczęśliwy zbieg okoliczności. Gdyby dziennikarka TVN24 nie zahaczyła mnie tamtego dnia i w świat nie poszłoby to słynne zdanie: „Janusz Palikot, którego państwo znaliście, zginął z Lechem Kaczyńskim", i gdyby nie to, że potem zaprosił mnie Andrzej Morozowski, dając niemal przez godzinę możliwość opowiedzenia tej historii, to sukces nie byłby taki pewny. Traf chciał, że tego dnia Tomasz Sekielski chyba zachorował i nie prowadził z Morozowskim programu „Teraz My". Miałem więc naprawdę luksusową sytuację. Dziennikarz był bardziej umiarkowany, Sekielski z pewnością nie dałby mi komfortu swobodnego wypowiedzenia się. A historia była świetna, zamknęła usta wszystkim – PiS nie mogło mnie krytykować. Jeśli bowiem Jarosław Kaczyński mógł przejść przemianę, czego dowodzili jego sztabowcy, to dlaczego Palikot miałby się nie zmienić?

Z tego wynika, że dziennikarze mają niemałe zasługi w umożliwianiu panu utrzymywania się na powierzchni?

Tak. W tym przypadku z pewnością.

A co by było, gdyby jednak całe środowisko dziennikarskie w tamtym momencie solidarnie i konsekwentnie się od pana odwróciło?

To byłby koniec. Tomasz Machała opowiadał mi klika dni po katastrofie, jak kilku dziennikarzy sejmowych spotkało się i zastanawiało, że pewnie do końca życia będą się tłumaczyć z tego, że zapraszali Palikota do studia. Taka była atmosfera. Była grupa nagonki na mnie, przewodził w niej ten nurt dziennikarzy wywodzących się z Opus Dei, jak Bogdan Rymanowski. Oni wcześniej mnie nie cierpieli i chcieli, korzystając z okazji, dobić. Rymanowski na antenie pytał Rokitę, kto jest winien tego zaszczucia Lecha Kaczyńskiego. I z zadowoleniem przyjął jego odpowiedź: nihilista z Biłgoraja. Na szczęście uformowała się też grupa bardziej umiarkowana, jak Jacek Żakowski, Tomasz Lis czy właśnie

Morozowski, którzy nawet nie ze względu na mnie przystąpili do działań, by tego typu publiczne, nie-bezpieczne egzekucje nie poszły za daleko.

A pan sam nie miał żadnych refleksji, że czegoś żałuje, że w tym biciu w prezydenta Kaczyńskiego przesadził? Niczego pan nie żałuje?

Urwała się pani z choinki?! Oczywiście, że nie! Przecież faktycznie to on jest mordercą tych ludzi; nikt normalny by nie leciał w takich warunkach. O tym zadecydowały jego fobie i ambicje.

Zatem zero autorefleksji?

W ogóle nie przyjmuję tego pojęcia. To nie była żadna gra z mojej strony. Mówiłem tylko to, co autentycznie myślałem.

A tezy, że jest pan wraz z tymi, którzy pluli na Kaczyńskiego, na urząd prezydenta, i że jest pan pośrednio współodpowiedzialny za tę katastrofę, kompletnie po panu spływają? Nie boli?

Jeden wielki śmiech. To kompletny kabaret. Na litość boską, przecież to nie ja wypchnąłem go do tego lotu?! Jeśli już, to był to Jarosław Kaczyński.

KAMPANIA
PREZYDENCKA KOMOROWSKIEGO

PO utrzymywała, że nie brał pan w niej w ogóle udziału, nie współpracował ze sztabem. Tak było?

Mimo że był już wniosek o wykluczenie mnie z partii, miałem codzienny, sztabowy kontakt z szefem kampanii Sławkiem Nowakiem. Byłem nieformalnym członkiem sztabu. Konsultowaliśmy różne pomysły, choć on nie miał rewelacyjnych. On raczej nalegał na mnie, żebym coś zrobił albo czegoś nie robił. To się zaczęło jeszcze w prawyborach. Nowak wydzwaniał na przykład z pytaniami, co planuje, kiedy po ataku na Sikorskiego jechałem na zjazd Młodych Demokratów, na którym miał gościć Komorowski. Z kolei kiedy już w kampanii szykowałem happening z autobusem i śpiewami pod telewizją w dniu debaty, Nowak prosił tylko, żebym, nawet jeśli mnie wpuszczą, nie wchodził do środka. To był pomysł mój i Kazimierza Kutza, by Komorowski odwiedził rodzinę Blidów. Kilka charakterystycznych zdań, choćby tych o dubeltówce, które wygłosił Bronek, było napisanych przeze mnie. To do mnie Marek Wikiński z SLD dzwonił, kiedy chciał zbadać, czy na pewno Komorowski nie idzie na debatę. Po czym podpuszczał mnie, żeby go namówić, a ja taktycznie odparłem, że próbuję, ale naprawdę raczej nic z tego nie wyjdzie. Po tym telefonie zadzwoniłem do Nowaka. „Sławek, Bronek musi iść na tę debatę, lewica jest przekonana, że go nie będzie. W takiej sytuacji, wiesz, jaka to będzie sensacja, kiedy jednak niespodziewanie, bez zapowiedzi się pojawi" – namawiałem. Ten zamilkł, po czym powiedział, że tak właśnie będzie, tylko żeby nikomu o tym nie mówić.

A jak było faktycznie z zaangażowaniem Tuska w tę kampanię? Momentami można było

odnieść wrażenie, jakby to w ogóle nie była jego sprawa, jakby się dystansował? To była tylko kwestia braku czasu?

Nie. Donalda w kampanii Komorowskiego praktycznie nie było. Na ogół się nie angażował, robił jakiś ruch jedynie wtedy, kiedy czuł, że zaraz może mu być robiony zarzut z tej bezczynności i braku zainteresowania. Robił tylko i wyłącznie to, co było niezbędne, żeby w razie czego to nie jego oskarżono o blokowanie Bronka, o jego przegraną.

Ale dlaczego? Przecież linia Tuska i PO była taka: to bardzo ważne wybory, bo właśnie nieprzyjazny prezydent blokuje zmiany rządowi.

Bo zwycięstwo Kaczyńskiego tak naprawdę było dla Tuska wymarzone.

Twierdzi pan, że premier świadomie grał na to, by Komorowski przegrał wybory prezydenckie?

Tak właśnie! Pod warunkiem oczywiście, że nikt nie postawi mu zarzutu, że to przez niego. Przecież gdyby teraz to Jarosław Kaczyński był prezydentem, Donald już miałby w kieszeni wygraną w tych jesiennych wyborach 2011 roku. Platforma miałaby zapewnione duże, około 50-procentowe zwycięstwo. Wobec szefa PiS-u cały niemal naród znów skupiłby się wokół Platformy. Tusk to doskonale wiedział. Dlatego w kampanii tak precyzyjnie się poruszał z tym swoim Ostachowiczem. Żeby wycelować w przegraną Komorowskiego o włos. Chciał doholować go z 2-, 3-procentową stratą do Kaczyńskiego.

**Komorowski był świadomy tego myślenia
i tych działań Tuska?**

Jak najbardziej. Dlatego właśnie nie ufał
szefowi własnego sztabu, Nowakowi. Sądził, że jest
on w zmowie z Tuskiem. Stąd zresztą w dużej mierze moja mocna wówczas pozycja przy Bronku. Komorowski na wszelki wypadek przegadywał ze mną
niemal każdy pomysł, jaki podsuwał mu sztab. „Słuchaj, oni proponują to i to, ale ja nie jestem pewien.
A ty? Co o tym sądzisz?" – sprawdzał ich w rozmowie ze mną. Niektóre rzeczy mu zresztą odradzałem.

**Ale bywało tak, że Tusk celowo wystawiał na
miny Komorowskiego?**

Niestety tak. Bronek żalił się, że choćby takie banalne rzeczy jak pieniądze na ubrania były
problemem. Sam Donald wydawał na swoje garni-
tury – według Nowaka – ze 30 tysięcy złotych mie-
sięcznie, z pieniędzy partyjnych. U premiera nie
można było wyprosić pieniędzy na dwa, trzy gar-
nitury dla Komorowskiego. Ta blokada w końcu została przełamana, po dzikich awanturach i urucho-
mieniu kobiet, takich jak profesor Magdalena Środa
i cały Kongres Kobiet. Sama Monika Olejnik w rozmowie ze mną wściekała się na stroje naszego kandydata!!!

Co to znaczy, że się wściekała?

Wykrzykiwała do mnie: „Co to w ogóle za
buty on ma?! Co to jest?!". Ale ubrania to tylko przykład. Platforma, na czele z Tuskiem, generalnie nie
była zdeterminowana, by Komorowskiemu prowa-
dzić kampanię.

Może dlatego Nowak podobno tak źle wspomina tę kampanię?

Bardzo źle, bo o wszystko praktycznie musiał się bić. I o to miał później pretensje do Tuska: dał swoją twarz, żeby być szefem kampanii, która, według Tuska, miała być przegrana.

A w prawyborach na kogo Tusk tak naprawdę stawiał?

Prowadził taką grę. Generalnie powtarzał, jak już mówiłem: „Czy Komorowski, czy Sikorski, trochę wszystko jedno, jednemu i drugiemu odbije po wyborach, to pewne". Gdzieś na przełomie lutego i marca mnie, zwolennikowi Komorowskiego, wyznał, że z dwojga złego woli jednak Bronka, bo... Jednak innym, którzy stali bardziej po stronie Sikorskiego, wciskał ten sam tekst, tylko ze wskazaniem właśnie na Radka. W pewnym momencie, kiedy widać już było, że Komorowski na pewno wygra, dał mu takie niby-wsparcie.

Tusk ujawniał swoje opinie o Komorowskim? Komentował jego poczynania w kampanii?

Tak, nabijał się z jego gaf. Generalnie Tusk uważał Bronka za kunktatora, który się chowa, przeczekuje, jak rozwinie się sytuacja, i przychodzi na gotowe. Pamiętam, jak Donalda szlag trafił, kiedy Komorowski chciał się wycofać z kandydowania na prezydenta tuż po prawyborach. To była taka rozgrywka Bronka: najpierw trochę się podbudować w prawyborach, urosnąć do roli tego, który może być kandydatem PO, ale potem wycofać się i próbować wypchnąć do kandydowania jednak Donalda. Komorowski uważał, słusznie zresztą, że jeśli premier będzie kandydował, to w sytuacji kiedy Schetyna był już osłabiony aferą hazardową, on naturalnie przejmie premierostwo i partię. Tusk nie ukrywał irytacji, kiedy Bronek wyszedł po prawyborach i powiedział, że musi tę decyzję skonsultować z żoną.

To wahanie Komorowskiego z powodu tego, że żona się nie godzi, to był tylko teatr?

Oczywiście. Bronek uznał, że taka wolta w tym momencie może mu się opłacić. „Czy Tusk wygra, czy przegra wybory prezydenckie, i tak opłaca się go wypchnąć, bo tak czy inaczej, będzie musiał już oddać szefostwo partii" – mówił mi. Oczywiście to były kalkulacje czynione ze Schetyną, z którym się już skumał.

Ale nie udało się. Dlaczego?

Bo Tusk nie jest głupi. Zaparł się twardo. Oświadczył, że nic go nie zmusi do kandydowania w tych wyborach prezydenckich. Nie trzeba było zresztą być geniuszem, żeby na jego miejscu przewidzieć, że jeśli wystartuje, to w najlepszym wypadku zostanie w ręku tylko z żyrandolem. Poza tym Donald był przekonany, że przy dobrym rozgrywaniu Kaczyńskiego w fotelu premiera utrzyma się spokojnie przez dwie kadencje, a potem może jeszcze sięgnąć po prezydenturę. Rozmawialiśmy o tym. On w taki scenariusz absolutnie wierzył. Wszystko się zawaliło, bo jednak to Komorowski wygrał wybory prezydenckie.

**A panu dlaczego tak zależało,
żeby Komorowski wygrał te wybory?**
      Po pierwsze, ze względu na nasze naprawdę dobre relacje prywatne. Po drugie, ja nie kalkulowałem politycznie. Nie kierował mną w tym momencie żaden mój własny interes polityczny. Byłem i jestem szczerze przekonany, że Komorowski w przeciwieństwie do Kaczyńskiego jest niegroźny dla demokracji. Ja naprawdę uważam, że prezes PiS-u jest niebezpieczny. I tym się kieruję. Tego poziomu nihilizmu politycznego, jaki owładnął Tuska, nie łykam. Jego wszystkie zachowania są elementami jednej machiavellicznej gry. On jest gotowy wszystko podporządkować grze politycznej. Z wyjątkiem własnej córki. Choć i ona, jak wiadomo, zaczęła prowadzić bloga!

RADA GOSPODARCZA PRZY PREMIERZE

Skąd u Tuska nagle pomysł, by powstało przy nim to ciało? To kwestia trudnej sytuacji kryzysu ekonomicznego i braku całkowitego zaufania do Rostowskiego? Czy może raczej próba jakiegoś sformalizowania Bieleckiego u jego boku?
      To na pewno miało związek z samym Bieleckim. Ale chodziło o znacznie więcej niż tylko o znalezienie dla niego jakiegoś miejsca. Powstanie Rady Gospodarczej pozostało trochę niezauważone, a jest to faktycznie jeden z ciekawszych przykładów funkcjonowania rządów Tuska. Platforma stosuje bardzo sprytne mechanizmy, trudne do odszyfrowania dla dziennikarzy, co jest powodem

wątłych skutków dziennikarstwa śledczego z tego czasu.

Co do samej rady, trzeba po pierwsze zauważyć, że Donald od początku autentycznie stronił od kontaktów z biznesem. Czy to znaczy, że jego rząd w ogóle nie załatwiał żadnych spraw, nie miał swoich interesów? Otóż nie. Premier powołał Radę Gospodarczą z Bieleckim na czele, czyli ze swoim bardzo zaufanym człowiekiem, po to właśnie, by ci, którzy mają jakieś interesy do załatwienia, chcą kupić jakąś fabrykę, wziąć udział w prywatyzacji, zdobyć koncesję czy zalobbować za jakimś rozwiązaniem, mieli gdzie przyjść. Wszystkie przepisy i decyzje gospodarcze rządu przechodzą przez tę radę. A że jest ona tylko organem doradczym premiera i w praktyce pozostaje w ogóle poza kontrolą... Nie ma tam ani ksiąg wejść i wyjść, ani możliwości prześledzenia, czym konkretnie się zajmują, jakich rekomendacji udzielają, kto dociera do Bieleckiego, czy jest to może ktoś, kto akurat bierze udział w jakimś procesie gospodarczym. Cały mechanizm jednak funkcjonuje za zgodą i wiedzą samego Tuska. To w istocie bardzo nowoczesne rozwiązanie: premier ma realny wpływ, może komuś pomóc, ale nie ma możliwości, by ktokolwiek postawił mu za to zarzut.

Chce pan powiedzieć, że Bielecki dokonuje biznesowych operacji w imieniu Tuska?

Egzekwuje pewne decyzje Tuska, przy okazji mając możliwość rozgrywania spółek, obsadzania ich swoimi ludźmi, a dzięki temu budując swoją mocną pozycję. Wiadomo przecież, że to on próbował storpedować transakcję kupna Banku Zachodniego WBK, wymuszając jego przejęcie przez PKO Bank Polski. To on torpedował sprawę Enei. Był także mocno zaangażowany w sprawę Otwartych Funduszy Emerytalnych.

**Te przykłady jednak nic nie mówią.
Sam Tusk je uwiarygadnia,
przedstawiając te działania jako zgodne
z interesem państwa.**

Bo tak to działa. Donald daje mu dowody w sprawie. Bielecki załatwia pewne sprawy nie tylko w interesie osobistym, ale też w interesie Tuska. W ten sposób budowany jest ich świat wpływów. Tu nie musi chodzić koniecznie, jak wszyscy w pierwszym odruchu sobie wyobrażają, o przełożenie na konkretne pieniądze. To jest sfera narzędzi polityki. Także personalnej, wobec dawnych kompanów z KLD. Bielecki bierze to na siebie, żeby chronić premiera. Faktycznie jest to jednak legalny, dobrze wyglądający na zewnątrz i jednocześnie skuteczny mechanizm bezpośredniego wpływania przez Tuska na obsadę najważniejszych spółek w państwie. I tak naprawdę w niczym nie różni się od manewrów Lecha Kaczyńskiego z ułaskawieniem wspólnika swojego zięcia Marcina Dubienieckiego.

IN VITRO

Dlaczego przez cztery lata rządów Platformy nie ma wciąż ustawy regulującej tę sprawę?

Bo tak naprawdę w zamyśle samego Tuska nigdy miało jej nie być.

Ale przecież to sam premier na początku kadencji postawił ten problem i osobiście zlecił prace Jarosławowi Gowinowi, z pełną zresztą świadomością jego konserwatywnych poglądów?!

Owszem, zlecił, ale z przekonaniem, że Gowin tego faktycznie nie zrobi. Wyobrażał sobie, że ten będzie zbierał specjalistów, debatował, a Platforma będzie punktować w tym czasie za podnoszenie ważnych, trudnych tematów. Gowin z in vitro przeżył właściwie takie samo doświadczenie jak ja ze swoją komisją: wzięliśmy na siebie zadanie publiczne, nie będąc do końca decydentem politycznym, by je zrealizować. Przeprowadzenie tego zadania nie zależało tylko od nas.

Czemu jednak sięgnął akurat po Gowina, który w PO jest przeciwnikiem numer jeden liberalnych mediów opiniotwórczych?

Tusk zawsze stara się postępować tak, jak większość w kraju akurat uważa za słuszne. W tamtym momencie sądził, że drogowskazem jest większość, jaką stanowią w Polsce katolicy. Zakładał błędnie, że skoro Kościół jest za ograniczeniem metody in vitro, to u większości Polaków też przeważy takie przekonanie. Tymczasem okazało się, że jest inaczej: dziś już blisko 80 procent Polaków jest za in vitro.

I kiedy to się okazało, z pomocą przyszła Małgorzata Kidawa-Błońska.

**Przygotowała projekt, dzięki któremu PO
znów mogła być po stronie większości,
pokazując tym razem swoje liberalne oblicze.**
Nie przyszła sama. Kiedy zorientowaliśmy
się, że znaleźliśmy się w pułapce, rozpoczęły się po-
szukiwania człowieka, który taki projekt mógłby
przygotować. Tusk próbował rozbroić minę, którą
sobie sam podłożył. To była tym groźniejsza mina,
że trochę nieoczekiwanie część liberalnych mediów
postanowiła właśnie na polu in vitro mocno się ze-
trzeć z rządem.

**Ale mimo że liberalny projekt powstał,
ustawy nie ma. Kidawa-Błońska miała tylko
zamydlić oczy?**
Oczywiście. Pamiętam, że Tusk wciąż powtarzał, że potrzebny jest kompromis. Uważał, że
jeśli ustawa ma być, to trzeba wypracować kompromis, który z jednej strony nie spowoduje kon-
fliktu z Kościołem, czego, choć nienawidzi kleru,
bardzo się obawiał, a z drugiej – nie wywoła wojny z „Gazetą Wyborczą". „A jeśli już – powtarzał
– to trzymać się jednak bliżej Kościoła". Okazało
się jednak, że nawet argument, iż dziś jest najgorzej, na Kościół nie działa, że z nim kompromis jest
niemożliwy. Ale mając dwa projekty, premier cały
czas pokazuje, że zajmuje się problemem, że wyka-
zuje troskę o życie.

**Zastanawiam się jednak, jak mu się udaje tak
lawirować przez cztery lata?! Przecież gdzieś
jest granica, za którą powinno się płacić cenę?
Tego się w ogóle nie baliście?**

Jak?! To pytanie bardziej do pani, do dziennikarzy: jak to możliwe, że tak łatwo dajecie mu się ogrywać?!

Tak nie było. Dziennikarze się dopytywali, nie zapominali o sprawie.
Ale pamięć społeczna jest bardzo krótka i Tusk wie to świetnie. Po około pół roku ludzie o wszystkim zapominają. Oczywiście, jak im się pomoże. Rozumowanie jest takie: jeśli za jakiś czas okaże się, że na przykład jakaś kobieta ucierpiała, zmarła przy in vitro, to znów się wyciągnie Gowina na pierwszy plan, ogłosi się przyspieszenie prac nad regulacjami. Przy czym tak się zagmatwa sprawę, że dziennikarze przestaną chodzić na konferencje na jej temat. A w międzyczasie może Kaczyński znów coś walnie... Zawsze znajdzie się coś, czym opinia publiczna się zajmie zamiast in vitro.

KASTRACJA PEDOFILÓW

Postulat wyjęty jakby prosto z tabloidu? Jak to się stało, że stał się nagle priorytetowym projektem liberalnego premiera?
To było zaskoczenie prawie dla wszystkich w Platformie. I przyznam, że to jeden z niewielu, jeśli nie jedyny, pomysłów, przy których mnie nie było. Po prostu nagle z dnia na dzień dowiedzieliśmy się, że będziemy kastrować pedofilów. To było o tyle bardzo dziwne, że w tamtych dniach, kiedy Tusk z tym wyszedł, byliśmy w kontakcie, spotkałem się z nim i z jego otoczeniem, ale o tym była cisza. „Ale co? Jak? W jakim trybie?" – wszyscy się łapali za głowę i nikt

w PO nie miał pojęcia, o co chodzi. Jak się później dowiedziałem, to był po prostu efekt czytania tabloidów, które akurat pokazywały przykłady takich zwyrodnialców. A trzeba wiedzieć, że Donald jest niewolnikiem kolorówek, czyta je codziennie, uważnie, jest bowiem przekonany, że właśnie one mają najlepiej sfokusowane nastroje społeczne. Wystarczyła więc seria tekstów o tych zwyrodnialcach i ruszył.

Chce pan powiedzieć, iż odbywa się to tak, że siedzi sobie Tusk z Ostachowiczem i na podstawie lektury tabloidów ustalają, jaką ustawę zrobić, co warto ruszyć, a czego nie warto?

Dokładnie tak. Tyle że nie ot tak sobie, tylko zawsze, żeby coś przykryć. To jest czysto populistyczne. Ale nie było przypadku, żeby taki numer mu się nie opłacił. Po co na przykład za długo dyskutować o kryzysie? Kiedy taka debata staje się niewygodna, robią wrzutkę na przykład właśnie z pedofilami. I wtedy też się udało. Rozpętała się burza, protestowali profesorowie, Helsińska Fundacja Praw Człowieka. A wszystko tym bardziej podobało się ludowi, który przecież nie zastanawia się, że to język niedemokratyczny, a te przepisy faktycznie nieskuteczne. Ważne, że notowania podskoczyły. I tak Tusk, który w 2007 roku miał być główną alternatywą dla IV RP, stał się realnie IV RP pierwszym macherem.

Ale można do tego podejść optymistycznie: okazuje się, że ten rząd potrafi jednak przeprowadzić ustawę w dwa tygodnie.

Szkoda, że nieskuteczną. Ale prawdą jest, że w tym rządzie tempo prac generalnie nie zależy od wagi merytorycznej sprawy, tylko od jej znaczenia politycznego. Gdy pojawia się akurat dobry moment polityczny, to i wprowadza się tempo ekspresowe.

DOPALACZE

Temat walki z tymi substancjami pojawił się na rządowej tapecie na zasadzie takiego samego mechanizmu tabloidowo-wrzutkowego jak kastracja pedofilów?

Kiedy padło hasło walki z dopalaczami, ja byłem już poza Platformą. Kontekst sprawy nie pozostawia jednak wątpliwości, że była to też wrzutka. Okazało się, że po kastracji pedofilów notowania wzrosły, więc sięgnięto po wydarzenie z podobnej półki. Po co akurat wtedy? Po pierwsze, żeby przykryć pierwszy kongres Ruchu Palikota. Zjazd w Pałacu Kultury i Nauki w Warszawie odbywał się 2 października i tego samego dnia policja przypadkiem wkroczyła do sklepów z dopalaczami. Efekt można było zobaczyć w wieczornych wiadomościach: wszędzie dopalacze były jedynką, przed kongresem Palikota. Dodatkowo uruchomienie walki z tymi substancjami miało do końca zabić aferę hazardową: oto rząd wypowiada wojnę ludziom z tego samego podejrzanego środowiska, z którym wcześniej skumali się działacze Platformy.

Może nie przypadkiem wyszła sprawa dopalaczy, ale jednak jest to realny problem. Trudno tu potępiać Tuska.

Tylko proszę zwrócić uwagę, jak cynicznie to się robi. Tusk faktycznie gra na kilku klawiszach, w zależności który akurat dobrze brzmi. Najpierw walczy z dopalaczami, czyli używkami, by potem realnie zliberalizować przepisy antynarkotykowe, co jest na kompletnej kontrze z tą walką. To, co robi, zależy zawsze od aktualnych nastrojów społecznych: kiedy emocje kumulują się wokół jakiejś sprawy, on natychmiast je pacyfikuje, tępi ewentualny konflikt społeczny.

SPINOWANIE. MEDIA TUSKA

Spin doktorzy w Polsce pewnie jeszcze długo będą się kojarzyć z duetem Adam Bielan-Michał Kamiński w PiS-ie. Ale ekipa Tuska też sobie chyba nieźle poczynała na tym polu?

Spinowanie, odwracanie uwagi dziennikarzy albo naprowadzanie ich na pożądane tematy to była wręcz obsesja Tuska i jego ekipy. Co i rusz Graś, Schetyna, Nowak dostawali kolejne konkretne zadania na tym polu. „Mamy problem? Czym to przykryć?" – padało podczas nasiadówek. I szybko przychodziły odpowiedzi. „To niech Donald leci do Afganistanu" – na przykład. I naprędce organizowano lot, media się ekscytowały, a oni mieli kilka dni spokoju. Oczywiście najbardziej spektakularną wrzutką były dopalacze, ale tak naprawdę praktycznie każdego dnia starano się wykreować i podrzucić mediom jakiś temat, by sprawy trudne zeszły na dalszy plan.

Pana zdaniem media się dawały?

Całkowicie. Łykały praktycznie wszystko. Konrad Piasecki czy kilku innych znanych dziennikarzy TVN-u dali się wrobić nieraz. Wbrew pozorom Monika Olejnik była dość odporna na te wrzutki i bywało, że szła ponad nimi, szła swoimi tematami. Nam było o tyle łatwiej, że na tym polu działa prosty, bezwzględny mechanizm: wystarczy, że wmontuje się trzech w miarę znanych dziennikarzy, i reszta mediów już praktycznie nie ma wyjścia, musi chcąc nie chcąc, podążyć w tym samym kierunku. I w Polsce wszyscy zaczynali już gadać o tym, o czym aktualnie Tusk chce, żeby mówiono. Oceniam, że w ten sposób ekipa premiera kontrolowała jakieś 90 procent przekazów w mediach.

To może dlatego Tusk mógł potem na tle Kaczyńskiego, który wszystko zwala na nieprzyjazne media i łatwo daje się sprowokować, świecić, chwaląc się, że ma twardą skórę i jako polityk dzielnie znosi krytykę, dziennikarzy wręcz oficjalnie do niej zachęcając?

Donald dzielnie znoszący krytykę mediów?! Niezły żart. Tusk ma bardzo krytyczny stosunek do mediów, pomstował na nie niesłychanie. Jeśli idzie o nowoczesny przekaz informacji, to był jak ta podstarzała panna na wydaniu z prowincji, która desperacko szuka sobie męża. Tak, on właśnie szukał dziennikarzy. Niczym się tu nie różni od Kaczyńskiego. Jakkolwiek absurdalnie by to zabrzmiało, on żyje w przekonaniu, że media w Polsce są wybitnie antyplatformerskie. W każdym materiale, tekście doszukuje się kontekstów, ukrytych, wrogich celów, intencji uderzenia w niego samego. Ileż razy na kilka miesięcy obrażał się na dane medium czy dziennikarza, odgrażając się, że nigdy u niego nie wystąpi. A przy tym nie przyjmował nawet najmniejszej krytyki. Niewiele było trzeba, żeby wyprowadzić go z równowagi. Tyle że inaczej niż Kaczyński zawsze pomścił już za zamkniętymi drzwiami.

Czym na przykład dziennikarz mógł go wyprowadzić z równowagi?

Oj, każdą trochę krytyczną uwagą o nim samym. „Znów się czepiają, zamiast zająć się »Kaczorem«" – ten niezadowolony ton powracał jak mantra. Telewizję publiczną uważał, jak wiadomo, za PiS-owską albo SLD-owską, a więc z definicji nieprzychylną, co akurat było prawdą. Ale i TVN uważał za wroga, twierdząc, że ludziom z tej telewizji to tak naprawdę marzy się Kazimierz Marcinkiewicz, że faktycznie to PO-PiS. Do tej opcji zaliczał nie tylko Bogdana Rymanowskiego, co można zrozumieć, ale też Andrzeja Morozowskiego i cały program „Szkło kontaktowe". O Polsacie najmniej się mówiło. Prawie nic. Generalnie narzekał, że wbrew pozorom to PO tak naprawdę nie ma żadnych swoich mediów, że Kaczyński wychował sobie dziennikarzy, publicystów, tych dawnych pampersów, a my nikogo.

A w „Gazecie Wyborczej" nie dostrzegał wsparcia?

Absolutnie. Jego zdaniem ona też była w chórze krytyków PO. Owszem, taka jej zasługa, że zawsze bardzo krytycznie pisze o PiS-ie, ale realnie marząc o SLD i czyhając, kiedy nadarzy się okazja, żeby lewicę wywindować. Co więcej, Tusk właśnie „Wyborczą" obwiniał za to, że do Platformy przykleiła się etykieta tego ugrupowania mniejszego zła. Był przekonany, że to ich celowa socjotechnika, by nigdy nie pokazać PO jako partii pozytywnej.

Miał jakichś ulubieńców w mediach?

Bardzo dobrze mówił o Jarosławie Kuźniarze z TVN24, który wyrastał właśnie w początkach rządów PO. No i może Janinę Paradowską lubił. „Janka zawsze przyzwoicie się zachowa" – mawiał. Resztę dziennikarzy generalnie dzielił na dwa obozy: obóz SLD i pampersów. Monikę Olejnik uważa za koniunkturalistkę. Ale momentami było dla mnie wręcz szokujące, z jakimi negatywnymi emocjami wypowiadał się o Tomaszu Lisie. Autentycznie go nie znosi.

ZWIĄZKI PARTNERSKIE

Może pospieszył się pan z tym wyjściem z PO. Przed wyborami partia Tuska jakby się zliberalizowała. Premier jest już za wprowadzeniem związków partnerskich?

Niech pani nie żartuje! Nie zliberalizowała się, tylko wyszło im z badań, że teraz opłaci się o tym wspomnieć. Tak to u Tuska działa. Zresztą mnie to nie zdziwiło, bo jakiś miesiąc przed tą deklaracją premiera jeden ze znanych PR-owców powiedział mi: „Na miejscu Tuska teraz właśnie słownie poparłbym związki partnerskie oraz in vitro, i już jest po tobie". I rzeczywiście oni przed wyborami zaczęli wmawiać tym wyborcom, którzy plasują się gdzieś pomiędzy PO, SLD a Palikotem, że są jednak skłonni coś zrobić w tych sprawach, że Polska pod ich rządami będzie się stawała coraz bardziej liberalna, tyle że z nimi będzie bezpieczniej i pewniej.

Nie wierzy pan, że Tusk po wyborach jest gotów na serio poprzeć związki partnerskie?

Tego dziś nie wiadomo. Tusk robi zawsze to, czego chce większość. To święta zasada. Dziś ta deklaracja o związkach partnerskich to jest tylko chwyt propagandowy, mający na celu pokazanie: z nami można rozmawiać, jesteśmy otwarci na wszystko. A co będzie dalej? Donald po wyborach będzie próbował lawirować i o tym zapomnieć. Jeśli jednak okaże się, że większość Polaków rzeczywiście tego chce, że jest presja, to on jej ulegnie. To była i zawsze będzie kalkulacja, niezwiązana w żaden sposób z jego autentycznymi przekonaniami. W tym przypadku będzie to też kalkulacja uwzględniająca koszty pogorszenia relacji z Kościołem.

Geje, lesbijki, to w ogóle temat, który jakkolwiek był obecny u Tuska za pana czasów w PO?

Nie. Zwykle kiedy się pojawiał, publicznie mówili, że nie ma o czym mówić. Nie było go, bo większość była przeciw.

A w Sejmie, wśród parlamentarzystów była reprezentacja homoseksualistów?

Sądzę, że stanowili 10 – 15 procent wszystkich parlamentarzystów, czyli byli w takiej proporcji jak w całym społeczeństwie. No może trochę mniejszej. Kto jest gejem, a kto nie, wiadomo było trochę na zasadzie tajemnicy poliszynela. Ale o tym w kuluarach się nie mówiło, przynajmniej ja nigdy nie byłem świadkiem rozmowy na ten temat. O homoseksualistach po prostu się nie dyskutowało. Oni sami bardzo się pilnowali, ale i inni bardzo się pilnowali, by nie wchodzić w dywagacje na ten temat.

Spis treści

Część I.
Tusk i jego drużyna (7)

Część II.
Poza Platformą (123)

Część III.
Wydarzenia (155)